一神教と帝国

JN052323

Uchida Tatsuru
Nakata Ko
Yamamoto Naoki

a pilot of wisdom

内田樹

中田考

目次

イスタンブールのスレイマニエ・モスク。1557年完成のオスマン建築の代表的なモスク。　写真＝AP／アフロ

プロローグ　「帝国」をめぐる、新しい物語を探して

内田　樹

みなさん、こんにちは。内田樹です。

今回の『一神教と帝国』はイスラーム法学者の中田考先生、トルコの大学で日本文化を講じているスーフィズム研究者の山本直輝先生との鼎談《ていだん》です。

中田先生との対談本『一神教と国家』（集英社新書、二〇一四年）の続編に当たります。本の趣旨は、日本人にはあまりなじみのない「イスラーム圏の人々の世界と人間の捉え方」について正確で深みのある知識を提供することです。前著と同じように、内田が「一般的日本人」を代表して、イスラームが専門のおふたりにあれこれと初歩的な質問をし、それにふたりの碩学《せきがく》がお答えになる、という結構であります。

内田が「一般的日本人」を代表すると聞くと「それは官命詐称じゃないか。あいつは変な日本人だぞ」と眉をひそめる人がいるかも知れませんが、今回の僕のミッションは「イスラーム

のことをろくに知らない日本人」という立場を誠実に務めることですので、その辺りのことはスルーしていただきたいと思います。

中田考先生とお話をするときは、たいていイスラームをめぐる政治と歴史の話になるのですけれども、今回は山本直輝先生というイスラーム圏で日本文化を講じている個性的な研究者が加わりましたので、イスラーム文化と日本文化の接点という、ふだん日本のメディアではまず論及されることのないテーマをめぐる対話になりました。

読者のみなさんもぼんやりと聞き知ってはいると思いますが、「イスラーム圏では日本のマンガとアニメが大人気」なんです。でも、どうして人気があるのかについて踏み込んだ分析をしたものを僕はこれまで目にしたことがありません。山本先生の着眼点は「師弟関係」と「修行」について、この二つの文化圏にある種の親和性があるというところにあります。これは僕もうかがってびっくりしました。こういうふうにまったく思いがけないところで「点と点が結びつく」と僕はわくわくします。

「プロローグ」として、ちょっと変な話をしたいと思います。少し長くなりますけれど、どうぞご容赦ください。

この鼎談の中では部分的にしか言及されない話なんですけれども、山本先生から『スター・

ウォーズ』と修行についての論考（これは先生がトルコの雑誌に寄稿したものだそうです）をご恵与いただきました。それがまことに示唆的なものでしたので、「プロローグ」（というよりは「予告編」）のつもりで、その説をご紹介し、併せて卑見を申し述べたいと思います。まずは山本先生の論文の一部をご紹介します。

日本のマンガの重要なテーマは師匠に導かれての精神的な成長である。この特徴は西洋世界のドラマや映画と比べたとき、より明確になるだろう。例えばマーベルヒーロー映画のシリーズに『ドクター・ストレンジ』という映画がある。世界的に著名な医師が魔法使いの師匠と出会うことで自らの魔法使いになるというストーリーであるが、映画では主人公が師匠から教わることはほとんどなく、主人公も魔法使いにならなかった。しかし、続編の『アベンジャーズ』では主人公のストレンジはいつのまにか最強の魔法使いのキャラクターとして登場する。なぜ？　どうやって？

また私が最も好きなアメリカ映画のシリーズに『スター・ウォーズ』がある。従来のシリーズではジェダイは師匠と弟子の関係性がストーリーの大きなテーマであった。しかし新シリーズ（続三部作）の主人公は、師匠からなんの教育も受けることもないまま『スター・ウォーズ』の歴史上もっとも強いジェダイになった。なぜ？　どうやって？

西洋世界のナラティブでは師匠や魔法など、東洋からインスピレーションを受けたと思われる要素はちりばめられているが、それらが有機的に機能していることはほとんどない。なぜなら西洋世界ではアイデンティティは定義されるものであり、他者とのかかわりによって醸成されるものではないからだ。

日本の少年マンガのナラティブを見てみると、いかに教育による精神の成長に重きが置かれているかが分かる。『HUNTER×HUNTER』など、勝負そのものはほとんど問題になっておらず、トレーニングを通じた自己理解の深化そのものが作品の中心的テーマである。ジン・フリークスの言葉を借りれば、「旅の過程そのものを楽しむ」ことこそ日本マンガの精神性なんだろう。自分が何者であるかを自分で規定すること、自分が望むものを得ること自体には何の価値もないのだ。

少年マンガは「異質な存在」としての師匠に導かれることで、異質な自分自身の理解を深めていく。しかしその成長によって達成されるのは自己完結した人間観ではない。他者によって導かれる自己は、他者を導くことによって成長するのだ。

『呪術廻戦《じゅじゅつかいせん》』の主人公虎杖の哲学はおじいさんの遺言「オマエは強いから人を助けろ」

だった。

アメリカ超大国の歴史の比喩である『シビル・ウォー：キャプテン・アメリカ』では、キャラクターたちが自らのヒーローとしての力を他者の管理の基に置くか、それとも自己責任にするかで争う。そのどちらのグループにも超大国の市民特有の傲慢さが存在する。

日本の少年マンガは、そのような大きなストーリーには加担しない。あくまで師匠と弟子という人間個人の精神的成長に主眼を置いている。

その意味では、日本の少年マンガは帝国のソフトパワーではなく、我々が心から望んでいるロールモデルを提示しているのではないだろうか？　このロールモデルとは過ちの無い完全無欠の存在ではない、我々と同じように過ちを犯し、後悔し、それでも他人のために生きたいと願う人間である。『ＮＡＲＵＴＯ―ナルト―』のカカシ先生、『呪術廻戦』の五条先生は実は自らも孤独さと後悔を胸に抱えた人間である。彼らが『シビル・ウォー：キャプテン・アメリカ』のようにヒーローの活動制限のためにロビー活動を行うキャラクターであれば、彼らの魅力は減るだろう。

要するに、日本のマンガ、特に少年マンガは世界に残された唯一の「ビルドゥングスロマン」なのである。そこにはアイデンティティ・ポリティクスもなければ、国民国家や政府の望む勝利の歴史もない。マンガは人間社会はどこまでも複雑であることを若者に教えようとしている。

以上が山本先生の論考（の後半部）です。これを読んで、僕は天を仰ぎました。そうか、欧米の文化には「修行」という概念が欠けているのか、と。それについて山本先生の驥尾《きび》に付していささか思うところ述べたいと思います。

『スター・ウォーズ』を構想したジョージ・ルーカスはご存じの通り、黒澤明の大ファンです。『スター・ウォーズ』でも、黒澤へのオマージュとして、いくつもの「引用」を行っていることは周知のことです。

ヨーダとルーク・スカイウォーカーとの師弟関係は『姿三四郎』における矢野正五郎と姿三四郎の関係を踏まえています。矢野正五郎のモデルは講道館創始者嘉納《かのう》治五郎、姿三四郎のモデルは講道館四天王のひとりであった西郷《さいごう》四郎と言われています。『姿三四郎』は三四郎が講道館に入門して、矢野先生の厳しく、温かい指導の下で修行を重ねて、一歩一歩と武道家として成長してゆくプロセスを描いた「ビルドゥングスロマン」です。

でも、その師弟関係も『スター・ウォーズ』に移し替えられると、かなり変容してしまいます。山本先生ご指摘の通り、修行の過程がいきなり短縮されてしまうのです。

シリーズ（旧三部作）第二作の『帝国の逆襲』ではルークが「ジェダイの騎士」をめざして、師匠ヨーダに就いて「フォース」の修行を始めます。修行の途中で「魔境」に入ったり、迷いを去るために苦闘する……というところまではなかなかよい「修行物語」になっているのですが、ルークは少しフォースが使えるようになったところで、自己都合で修行を切り上げて、ハン・ソロ救出に行ってしまいます（そして、ダースベイダーに返り討ちにされて右手を失ってしまいます）。技量未熟ですから、まあ仕方がないと言えば仕方がない。

ところが、「それから一年後」という設定の（旧三部作）第三作『ジェダイの帰還』冒頭では、ルークはもう騎士修行を終えた堂々たるジェダイマスターとして登場します。ヨーダの下を去った後、ルークがどこでどんな修行をしたのか、映画は何も教えてくれません。

それでも、さすがにルークがいきなりジェダイマスターになったことについて、これでは説明が足りないと思ったのでしょう、「フォースはミディ＝クロリアン数が超人的に多いというＤＮＡ情報で決定される」という話に途中からなってしまいました。

なるほど、生得的な資質でジェダイの騎士の適性の有無が決定されているなら、修行はもとより無用のものです。事実、シリーズ続三部作になると、ヒロインのレイはルークの使ったライトセーバーを手に触れた瞬間に「自分の本性」を知り、いきなりジェダイマスターになってしまいます。「私はほんとうは何者であるのか？」という自己探求の旅が修行に代替する。

このエピソードの遷移を見ていると、どうして欧米では「アイデンティティ・ポリティクス」がこれほど重要な政治課題になるのかがいくぶんか分かるような気が僕はしました。西欧的なナラティブでは、成長するために必要なのは、自分自身になることであって、成長して別人になることではないのです。

東アジアの伝統では、修行というのは（宗教であれ武道であれ芸道であれ）、「これまでの自分とは違う人間」になることを指しています。「ほんとうの自分」なんていうゴールはどこにもありません。ただ、ひたすら先達に就いて、無限消失点である目的（「大悟解脱」や「天下無敵」）に向けて歩き続け、ふつうは目的地についにたどり着かぬうちに息絶えます。でも、修行途上で、未熟なまま息絶えて、自分がほんとうは何者であったのかをついに知らずに人生を終えても、それは修行者にとって少しも恥ずかしいことでもないし、悔やむべきことでもありません。修行というのは「そういうもの」だからです。

中島敦の『名人伝』の紀昌《きしょう》は天下第一の弓の名手たらんと修行を重ね、最初は名手飛衛《ひえい》に就いて学び、続いて甘蠅《かんよう》老師に就いて「不射の射」の至境に達します。でも、故郷に戻って来たときは木偶《でく》のような顔になっていて、もう二度と弓を手に取ろうとしませんでした。そして、晩年に至り、人の家で「見たことのある道具」を見て「あれは何ですか?」と尋ねます。なんと、紀昌は弓の名も使途も忘れていたのでした。おそらく紀昌は自分の名を聞かれても「さあ、私、誰でしたっけ」と答えに窮したのではないでしょうか。

「呉下《ごか》の阿蒙《あもう》」の故事もそうです。呉国に呂蒙《りよもう》という猛将がいました。武勇に卓越していましたが、学問がない。呉王孫権が「呂蒙将軍に学問さえあれば」と惜しんだのを聞いて呂蒙は学問に向かいました。参謀の魯粛《ろしゆく》が久しぶりに呂蒙将軍に会うと、その学殖の深さ見識の高さはかつて「呉下の阿蒙(おばかちゃん)」とあだ名された人とは思われないものでした。驚嘆する魯粛に向かって呂蒙は「士別れて三日ならば、即《すなわ》ち更に刮目《かつもく》して相待つべし」と告げました。士というものは三日会わないと別人になってしまっているのだから、目を見開いて相対しなければならない、と。東洋的な修行の気合を伝える佳話です。

修行することで士は別人になります。「本当の自分」になるわけではありません。修行とは連続的な自己刷新を通じて別人になり続けることです。

同じ人間とは思えない……という感想を周囲にもたらすことを修行の甲斐《かい》と見立てるのが東洋風です。「ほんとうの自分」を見出《みいだ》したら、あとはそこに居着いて、死ぬまでその職分を果たすという欧米風のアイデンティティ・ポリティクスとは隔たることまことに遠いと言わなければなりません。

でも、これは単なる修行観の違いだけにはとどまらないように僕には思われます。「西欧近代」が見出したアイデンティティ・ポリティクスは、今や世界を覆い尽くして、すべての人と国に向かって「ほんとうの自分探し」を要求しているからです。それは個人のレベルでは「自分探しの旅」という形で奨励され、集団レベルでは「国体明徴主義」という形で奨励されている。日本でも、中国でも、韓国でも、みんなそうです。でも、それは東アジア的な「修行を通じての自己陶冶・修行を通じての連続的な自己刷新」というアイディアとは相容《あいい》れない。アイデンティティ・ポリティクスと修行は食い合わせが悪いんです。

その違和感をことさら強く覚える人たちがいて、日本ではその人たちが「修行マンガ」を描き、トルコでは、若者たちがその「修行マンガ」に熱狂する。そういう現象が起きているのではないかという気がします。

本書でもその問題点が語られていますが、国民国家というのは近代になって採用された新しい政治的擬制です（ウェストファリア条約で大枠が決まり、ナポレオン戦争で政治単位のデフォルトになりました）。

ある限定された「国土」の中に、言語も宗教も価値観も美意識も生活文化も同じくするきわめて同質性の高い人たち（nation）が集住している国（state）を「その国の本来あるべきかたち」と見なすということで国民国家は存立します。「わが国本然の姿」なるアイディア抜きには近代国民国家は成り立ちません。でも、「わが国本然の姿」というのはもともと自然物のようにあったものではなく、集団を統合するために事後的に工作された「物語」です。

日本の場合を考えれば分かります。

明治維新まで日本列島の住民は二七〇の藩に分断され、それぞれの住民たちは自分の藩のことを「国」と見なしていました。それ以上大きな政治単位である「日本」の成員であると意識するということは少なくとも庶民レベルにはなかった。現に、「お国訛《なま》り」も「お国自慢」も「国境《くにざかい》」も藩についての表現です。

でも、一八世紀の日本には、早急に日本を国民国家として立ち上げないと、欧米列強の植民地になるリスクが切迫していました。多少の無理をしてでも、「ナショナル・アイデンティティの明徴化」を成し遂げねばならない。そのためには新しい政治的アイディアが必要でした。今はたまたま二七〇の藩に分かたれているけれども、列島住民は実は全員がひとしく「天皇の赤子」であり、同胞なのであるという「一君万民」の政治思想が登場したのは、このような歴史的条件の要請に応じたものです。

それが水戸学でした。水戸学が生まれたのは「ナショナル・アイデンティティを持つこと」がグローバル・スタンダードだったからです。西欧近代が決めたレギュレーションに従わないと「国」としては認知されないことが明らかだったからです。

一八六三年に長州は英仏蘭米の四国と下関戦争を、薩摩《さつま》は英国と薩英戦争をしました。このとき、幕府もほかの藩も戦争の当事者ではありません。つまり、今の日本になぞらえて言えば、山口県と鹿児島県が他国と戦争をしているときに、ほかの都道府県は拱手傍観《きょうしゅぼうかん》をしていたということです。そのようなSF的事態を想像すれば、天皇を中心とする一君万民の国民国家という政治的アイディアの登場が切望されていたという事情はお分かりいただけるはずです。でも、歴史的条件に要請されて登場してきたということは、それまでは存在しなかったということです。

日本には日本のナショナル・アイデンティティがあり、中国には中国のナショナル・アイデンティティがあり、それぞれ「ほんとうの自分」を見出し、「本来の自分」に立ち還《かえ》ることを通じてのみ国民的結束を打ち固め、国力を増大させることができるという考え方を今は世界中の集団が採用していますが、これは西欧近代のものです。

維新の志士たちが尊皇攘夷《じょうい》の水戸学からいきなりルソーやロックやホッブズの近代市民論に宗旨替えできたのは、おそらく水戸学そのものが非東アジア的な「アイデンティティ・ポリティクス」のイデオロギーだっただと僕には思われます。

まあ、そんな変なことを言うのは僕くらいで、多分、思想史の専門家は誰も相手にしてくれないでしょうけれども、山本先生の論文を読んでいるうちにふと思いついたので、備忘のためにここに書きとめておきます。

最初からややこしい話に付き合わせてしまってすみません。もうこの辺でやめておきます。でも、本書で論じられているさまざまなトピックの奥行と深みは、広いタイムスパンと、領域国民国家的なせせこましさを超える帝国的な地理的スケールの中に置いて初めて味わえるものだということだけは「プロローグ」で申し上げておきたいと思います。

以下の鼎談では話頭は転々として奇を究め、「そんな聞いたことがない話」が次々と語られます。読者のみなさんが、最後までわくわくしながら読んでくれることを願っております。では、どうぞ。

2023年7月8日、イスタンブールでウクライナ大統領ゼレンスキーと面会するトルコ大統領エルドアン。
写真＝AP／アフロ

2023年9月4日、ロシアのソチでロシア大統領プーチンと面会するエルドアン。　写真＝ロイター／アフロ

アジア研究の底にあるトルコ民族の矜持《きょうじ》

中田　今年はトルコ建国一〇〇年目、そして来年二〇二四年は、カリフ制廃絶一〇〇年を迎えるという、トルコという国の節目の年でもあります。日本人はあまり知らないかもしれませんが、ロシア・ウクライナ戦争が長期化する中で、積極的に調停を働きかけている国がエルドアン政権のトルコです。歴史的に幾度となくロシアと戦争を重ね、また近隣国の内戦で生まれた難民を多く抱えるトルコは、ロシアとも西欧世界とも一定の距離を取りつつ独自の立ち位置を示しています。深刻な経済問題や汚職問題を抱える中で、なぜエルドアンが支持され続けるのか（二〇二三年五月の選挙で、一時は野党が優勢とも言われていたが、決選投票でエルドアン続投が決まった）。その辺りも今のトルコの国民性をひも解くヒントになりそうです。

現在のトルコでは若者たちの鬱屈がたまっているとも聞いておりますが、長期的に見ると、今のトルコの政治や政策には、西洋的価値観に傾き過ぎている私たち日本人が学ぶべきところも多いかと考えております。そこで今回は、現在イスタンブールのトルコ国立マルマラ大学で教鞭《きょうべん》をとる山本直輝氏を迎え、トルコがとっている教育・文化政策、敵対的共存を具現する外交政策、そして現政権に伏流するオスマン帝国以来のスーフィズムの伝統などについてもお話を伺いたいと思います。

あらためて、同志社大学神学部時代の教え子だった山本直輝氏を内田樹先生に紹介いたします。彼は一時帰国しているところです。実質的に彼は私の最後の弟子になりますが、最近私は海外に行っていないので、今の中東の生きた情勢はほとんど彼から聞いております。

山本　マルマラ大学大学院トルコ学研究科で東アジア専攻を担当しています。

中田　もともとこのトルコ学研究科は、オスマン帝国からトルコ共和国になるときに、トルコ人意識をつくり出す目的でつくられたものです。それまではトルコ人という意識は存在していませんでしたからね。そのためにまず、「トルコ建国の父」とされるアタテュルク研究として始まった学問なんです。

内田　民族的アイデンティティを学問的に確立させようということですね。

中田　そうです。そういう目的で始まった学問領域なので、中央アジアのトルコ系の民族も一応視野に入れています。研究者の間ではトルコ語はトルコ共和国の公用語だけを指し、言語学的にはトルコ語を含む語族はチュルク語族と呼んで区別します。チュルク語族には、オグズ系、カルルク系、キプチャク系などがあり、トルコ語はオグズ系チュルク語に位置づけられますが、チュルク語族の名称は日本ではまだあまりなじみがないので、本書では「チュルク」の代わりに「トルコ」と記します。

内田　そうすると新疆《しんきょう》ウイグルまで含むわけですね。

中田　はい。ただ、そういう目的意識だけはあったのですが、実体はまったくともなっていませんでした。ソ連（ソビエト連邦）が存在しているときには冷戦の論理があったので、現実問題として、ソ連のトルコ系の民族の研究をしていると、ソ連のスパイ扱いされてしまうので、研究そのものができなかったんですね。

　ところがソ連が消滅すると、トルコ人たちはロシアに乗り込んで「中央アジアにはトルコ系の民族がいるが、我々こそがトルコ系諸民族の盟主である」と、「自分たちこそがスラブ系諸民族の盟主だ」と主張する今のロシアのようなことを言い始めたわけですね。しかし当時の旧ソ連圏のトルコ系の人たちは、つい最近までは世界第二の超大国ソ連の国民だったという自負があったので、「お前ら何しに来たんだ」と、トルコ人を田舎者扱いして相手にしなかった。それですごすごと帰ってきたという過去がある。採用の実際は後で触れますが、その失敗に鑑みて、心機一転仕切り直して再出発しようということで、今回、日本人の山本先生も採用したのだと思います。

山本　マルマラ大学のトルコ学研究科は歴史学や国際関係論、言語学などいろいろ専攻がありますが、僕の所属しているマルマラ大学のトルコ学研究科は、トルコ共和国やトルコ語だけではなくて、地理的な広がりを持たせて、中央アジアも研究対象です。最近は東アジア研究もトルコ学の一部としてもっと広げようとしていて、今それで人員を集めようとしているんです。

内田 東アジアもトルコの一部というか、トルコ文化の影響下にあるという解釈ですか。

中田 広義のトルコ人だということで。

内田 なんと。それは初めて聞く話ですね。

山本 日本にも、戦前に日本トゥラン協会という団体がありました。トゥラン主義を掲げて、汎トルコ主義に共鳴した日本人がいました。

内田 大川周明《しゅうめい》じゃないですよね。

山本 それとはまた違う系統です。大川周明は大アジア主義に行きますが、トゥラン主義は、ハンガリーから日本までが視野に入っています。

内田 ハンガリーから日本までですか。気宇壮大。大アジア主義の比ではないですね（笑）。

中田 トゥラン主義というのは、ウラル・アルタイ語族のフィンランド人とか、ハンガリー人とかも全部含めてトゥラン民族であって、日本からずっとつながっていくという、そういう考え方ですね。現在の言語学界の主流からは否定されていますが、いまだに主張している人もいて、トルコ人たちも「詳しくは知らないけど、きっとそうなのだろう」と思っている人が多い。だから日本人と聞くと「ああ、そうか、そうか、トルコの田舎者か」という、そんな感覚なんです。だから私は冗談で「島嶼《とうしょ》トルコ人」と呼んでいます。というのは、トルコ共和国ができたときには、言語的にはトルコ人とまったく違うインド・ヨーロッパ語族イラン語派に属するクルド語を母語とするクルド人を「山岳トルコ人」と呼んでいましたから。

即断・即決が中東式リクルート

中田　マルマラ大学の東アジア研究科は、一応制度としては一昨年（二〇二一年）にできたんです。

山本　制度的には数十年前から名前だけは登録していたらしいですが、ただ最近になって東アジアへの関心が高まってきたのかもしれないですね。

中田　突然、山本君に電話がかかってきて、それをきっかけにマルマラ大学大学院トルコ学研究科に一カ月で異動したんですよね。それもほんとうに偶然だった。

山本　はい、トルコは大学の人事に関してＹＯＫ（高等教育委員会）という組織が管理していて、面接や論文審査、業績査定とかかなりいろいろ段階があるんですが、まずは電話をかけてリクルート交渉に入るのも多いですね。
　いきなり電話がかかってきて、教育庁の何々ですが、マルマラ大にポストがあるんですけど検討してみませんかと口頭で申し込まれたんです。その電話で僕は承諾したわけですが、考えてみれば、今まで僕は、正式な書類をもらったことが一度もないです。口約束で就職もして、給料もなぜか振り込まれているのに、紙のものはいただいてない。国立大学に移ってからはもらいましたけど。
中田　辞令も何もないんです。
内田　え、辞令がないんですか。
山本　あるらしいんですが、見たことないです。ちょっと不安になって、ほんとうに就職できているんですかと一度その知り合いに聞いたんです。そうしたら大丈夫だと言われました。何の証明書もなくて、全部口約束でしたから、ふつうは不安になりますよね。
中田　山本君に電話をかけてきた人物はそのサークルの出世頭で、彼がオッケーと言った以上全部オッケーであり、そうだとしか言いようがないということでしょう。
内田　彼が今の地位から転落したりするとその先は分からない……。
山本　多分僕はすぐクビになるか、契約更新されなくて職を失うかですね。

内田　なかなかワイルドな人生ですね。

中田　ちなみに彼の前職のイブン・ハルドゥーン大学で働いていたときに世話になった学長は、この夏にカタールの大学からヘッドハントされてしまったんです。それもほんとうに一カ月で移住してしまった。判断も移動もものすごく早い。こういうところにもモビリティの高さを感じますね。

山本　そうですね。カタールからその先生にオファーの話が来ていたのは二カ月前ぐらいで、行くと返事をして二週間で引っ越しの準備をしてカタールに行っちゃいましたから。でもこれは中東では当たり前のことなんです。電話で依頼が来て、オッケーと言って、一週間で全部準備する。イスラーム社会はほんとうにモビリティが高いですね。逆に言えば、依頼が来たときに「いいえ」と言ってはダメなんです。まずは「はい」と言う。そこから自分でポジティブな結果になるように積み上げていく。そこで断ったら一生、仕事の機会は来ません。なので、とりあえず「はい」と言ってから、「はい」と言ってよかったなとみんなが思えるような結果に向けて頑張っていくという社会です。

中田　ある意味、とりあえず「はい」という最初の対応は日本に似ています。でも日本の場合、「はい」と言った後に「でも」「しかし……」というネガティブな言葉が来て、結論を先延ばしにしますね。向こうではそうじゃなくて、「はい」と言ったらあとはひたすらポジティブな言葉を積み重ねていく。そしてそれがたいていは双方にとっていい結果を呼び込むことになる。そういう社会なんですね。

山本　日本では交渉のときに「一旦持ち帰ります」と言うじゃないですか。トルコでは、「あれはどういう意味なのか」とよく聞かれるんですよ。

中田　持ち帰ってはいけないのです。「持ち帰る」は、できるかできないか検討するということなのでしょうが、トルコの「できます」は、古代ギリシャの論理学的な意味で、日本語の意味とはだいぶ異なります。「できる」――つまり可能とは必然と不可能の間のカテゴリーになるので、一パーセントでも可能性があれば「できる」になる。それが結果的に実現しなくても、可能であることもそうでないこともどちらもありえたが、神の意志により今回は実現しなかった、ということになる。

山本　確かに。これは神学的な基礎のある言葉です。トルコ語で「はい」と言うときは「オラビリル（olabilir）」と言いますが、これは、僕ができるという意味ではなくて、ポッシブルの意味の「ありうる」という言い方なんですね。その未来はありうる。それを実現するのは自分の頑張りと神の導きということになる。神は何でもできるので、神学的にありえないということはありえない。だから、「いいえ」「できません」と言っちゃダメなんです。お前、何様だという話になる。

内田　なるほど。神様の領分に人間が口出ししちゃダメなんですね。

中田　言葉の持つ意味がもともと違うんです。そういう世界で臨機応変に生きていく。それが中東・イスラーム方式で、トルコもそうなんです。

内田　最初に「イエス」と答えておいて、「あとは交渉で」というのは日本の文化ではないですね。

現代中東は今も『真田丸』的世界

中田　だから中東には決定権のない人間を送ってはダメです。「持ち帰り」というのは本人に決定権がないということなので、中東では見下されます。

山本　「いいえ」と言ってしまうと、「自己決定できない＝無能」というレッテルを貼られてしまいます。

中田　そうです。決定権のない人間など相手にしても仕方ない、と見下され、次からは相手にしてもらえなくなります。そういうマインドでエルドアンも生きているわけです。

内田　もう二〇年ぐらいそういう世界をエルドアンは生き抜いているわけですから、相当肝が据わっていますね。

中田　トルコ人はみんないつも危機的状況で綱渡りのように生きていますので、危機に慣れていて、平気なんです。

山本　最近大河ドラマの『真田丸』を観直したんですが、真田一族がエルドアンと重なって観えました。トルコはなんであんなにころころと陣営を変えるんだろうと思っていたんですが、この大河ドラマを観たら「あれはまさにエルドアン的処世術」ですね。ドラマの中で真田一族は主君の武田家が滅亡してから、織田家、上杉家、北条家に挟まれてそれらの陣営をその時々で替えて生き残っていくんです。あるときはエジプトと仲よしになり、あるときはロシア側にもついて、あるときはヨーロッパとも交渉するエルドアンの外交姿勢がとても似ているんですよ。トルコを嫌いな人にとっては、まさにエルドアンの率いるトルコは「表裏比興《ひきょう》」ですね。

今も食糧問題やスウェーデンのEU加盟問題などでヨーロッパと交渉していますが、やっぱりマインドは戦国時代なんですよ。

中田　ほんとうにそういう感じです。この前、京都精華大学に行って学長と話したんですが、あれだけリベラルで、アナーキーな京都精華大の学生でも最近はかなり保守化が進んでいるという話を聞いて驚きました。「日本は中国や北朝鮮などの敵に囲まれているから武装しなきゃいけない」というようなことを言うのがリアリズムだと思っているという話です。でも、そんなのは全然リアリズムとは違います。

内田　それは単なる無知です。

中田　ええ。毎日リアルに戦争をやっているような中東から日本へ戻ってくると、リアリズムじゃないものをリアリズムだと思っているのを一番危険に感じてしまいます。

内田　日本に戦争ができると思っているところで完全に幻想です。できるわけがないじゃないですか。日本の政治家に戦争指導ができるだけの能力がある人なんてひとりもいませんから。

中田　中東の政治家は、一歩間違えたら戦争になりかねない、一触即発の危険な状況下でぎりぎりの決断を毎日迫られています。日本はアメリカの属国のようなものなので、外交が拙劣でも戦争にもならずたいした事態にはいたらずに済んできた。そういうぬるま湯の国の政治家たちが、日本には武装強化が必要だと言うのをリアリズムだと思い込んでいる、そのこと自体が非常に危険だと思います。

内田　日本が戦争をしない最大の理由は無能だからですよ。戦争なんか始めたら収拾不能のカオスになる。それは政治家も分かっていると思います。少なくとも官僚は分かっている。今の日本の政治家に戦争指導部を形成できるような知性も性根もないことは。

中田　そうそう。ウクライナみたいにいきなり、「国民はみな、侵略軍に抵抗しなきゃいけない」と言われて、我々に武器を渡されても何にもできませんからね。何にも考えてないし、何の覚悟もない。

内田　そもそも銃がありませんからね。安倍元首相の狙撃事件のときに、友人の医師が話していましたけれど、搬送された病院の医者たちはびっくりしただろうと言うんです。だって、ふつうの日本の外科医は、まず生涯に一度も銃創に遭遇することなんかないんですから。外科医が銃創を診た経験のない国がどうやって戦争ができるんですか。

伝統を守ってきた人々

内田　山本さんは、トルコの大学で具体的にはどういう研究をされているんですか。

山本　僕の専門は一六世紀から一七世紀にかけてイスタンブールで影響を持っていたイスラーム改革派の研究です。あとは、現在のトルコでの伝統イスラーム学の復活と知識が引き継がれていく様子を一〇年くらい見てきました。

アラブ人は移動性が高い民族なので、移民した土地で個人が日本の寺子屋のような私塾を開いて、そこで人を教えているんです。彼らはそれで稼ぐのではなく、本業は医者とか高校や大学の教員とか別にあって、あくまで休日に教えている。その様子をずっと見てきて、これは単なる使命感だけではなく、その学びの仕方と教え方を、身体的に分かっている人たちがやっているんだなと思った。イスラーム伝統学を受け継いでいく感覚とはこういうものかと納得しました。

でも、僕が一一年前トルコに最初に留学した当時は、イスラーム伝統学を教えている寺子屋的な教育NGOは、イスタンブールにはほとんどなかったんです。それが今、シリア内戦を経て難民としてやってきたシリア人学者の協力もあり、三〇以上もある。そのうちのいくつかは中東全体で見てもトップレベルで、今や、エジプトの一番権威の高いイスラーム学の大学であるアズハルよりも質が高いと言われていて、ヨーロッパやアメリカのムスリムが留学しに来るくらいです。

内田 そんなに質の高い教育NGOがあるって、日本では考えられませんね。

中田 トルコ社会は宗教熱心な人々と世俗的な人が両極化しているんです。そして、日本の外交官や新聞社の特派員やビジネスパーソンたちが付き合うようなトルコ人は、世俗的な人々ばかりです。彼らは敬虔《けいけん》なムスリムたちとの交わりがないので、敬虔なトルコ人たちの暮らしぶりや気持ちがまったく分かっていない。世俗的なトルコ人も敬虔なムスリムの生活ぶりをまったく知らないので、そんな彼らとしか付き合っていない日本人には全然伝わってこないんですね。

山本　そして先の、シリア人のイスラーム学者の寺子屋を手伝っているのは、クルド人のイスラーム学者なんです。クルド人っていうと、日本の報道では、クルド難民とか、あるいはクルドの独立闘争でしか知られていませんが、そういう主張をしているのは、大多数ではありません。

中田　そうだね。共産主義の人たちだね。

山本　でも、実際にトルコに行ってみると、僕の知り合いの半分はクルド人ですよ。日本に来ているクルド難民って、「トルコではクルド人は生きていけない。人権がないからここに逃げてきた」と、よく言いますね。だったら今僕の目の前にいるクルド人は何なのかと思う。確かに、トルコでクルド人が生き難いという一面も歴史的にはありましたが、今はそういう認識ではない。イスラーム学関係の学部が主催している研究会に行くと、研究者の八割はクルド人だったりします。

内田　確かに日本のような遠いところにいると、断片的な情報からその国全体の状況を想像してしまうリスクは高いですね。

山本　日本におけるクルド人についての認識は明らかに偏っていると思います。クルド人のイスラーム学者の強みは、もともとシリアとイラクとの国境沿いに住んでいた人たちなので、グローバル感覚があることです。クルド語も話せるし、トルコ語も話せるし、彼らも正規の学校以外に寺子屋にずっと通っていたので古典アラビア語も堪能です。国境沿いは監視や規制が弱いので、先ほどお話ししたイスラーム学の私塾がたくさんあります。彼らはそういうところで育ってきたわけです。彼らの先生にはクルド人以外に、アラブ人、トルコ人もいます。そういう人たちを通じてシリア難民を国境沿いからイスタンブールの都市部に送るんですね。そうして彼らの支援の下でイスタンブールにも私塾が広がって、過去二〇年の間にイスタンブールに伝統イスラーム学が復活したという流れがあります。

伝統イスラーム学の復興には、トルコ人だけではなく、クルド人の協力もあるし、アラブ人も関わっているし、私塾の学生には中東アジアから来た人もいれば、中央アジアから来たトゥルク系の人、アフガン人、ヨーロッパやアメリカの改宗ムスリムもいます。ですから、トルコの伝統イスラーム学の復興はトルコ人だけのものではなく、いろいろな民族的ルーツを持つ人の力が合わさって実現しているんですね。でも、こうしたことは欧米のメディアではあまり取り上げられない。ヨーロッパにもあれだけムスリムの移民がいるというのに、メディアは関心を示そうとしない。

中田　今回のウクライナ危機で、ウクライナやロシアからも難民がたくさん入ってくるようになったので、それによってどんどんグローバル化が進んでいるんです。そういう部分も一切日本には伝わってきません。

戦火を逃れ優秀な人材がトルコへ流入

山本　特にロシア人が急激に増えていますね。ロシアとウクライナが戦争をしていると、ウクライナ人はヨーロッパに逃げられますが、ロシア人はヨーロッパに逃げられない。そういう状況で、ロシア人がビザなしで気軽に行けるのがトルコなんです。なので、街を歩いていると、ほんとうに目に分かるレベルで、〝あれ？　ロシア人増えてない？〟という感じです。ロシア語を話しているので聞けば分かりますし、見た目からもすぐ分かる。あとは、旧ソ連圏の中央アジアのチェチェン系のジョージア人（グルジア人）もすごく増えてきています。

それと、その人たちがシリア難民街でロシア人相手にトルコ語を教えているんですよ。教えているのは中央アジア人の博士課程の学生などですが、「とりあえずアルバイトで働けるレベルのトルコ語教えます」といった宣伝文句で、違法トルコ語学校を経営している。ふつうの国立のトルコ語学校に通うとちょっと高いんですが、その四分の一ぐらいの値段でやっているので、まあまあ需要があるみたいです。

中央アジア人なので、発音はちょっと訛っていますが、そのトルコ学校に通うロシア系というか、ロシア語を母語としていた地域の人たちがトルコ語をしゃべれるようになって働き始めて、ときどき親族の家や実家に帰るなどして移動を繰り返しているので、トゥルク語圏がまた広がっていくという循環ができつつある。

内田　チェチェンから来る人は何しに来ているんですか?

山本　出稼ぎや、戦争に巻き込まれたくない人が逃げてきています。

ここ二〇年に起きた中東やユーラシアの戦争で、かなりトルコ内の人口分布が変わったと思います。トルコにとっては、このように中央アジアやロシアから人が来るというのは喜ばしいことだと思います。エルドアンの前のエルバカン（ネジメッティン・エルバカン、一九二六―二〇一一。トルコの政治家、首相）の政権のときは、中東のムスリム諸国と連帯する構想があったんですが、それが軍部の圧力で潰されてしまった。エルドアンはどうもそれだとうまくいかないだろうと感じて、自分のお師匠さんの失敗を糧にして、何か違う道をというので目をつけたのがトゥルク諸国機構なんです。

まず、中央アジアのトゥルク民族はみんなスンナ派なので、スンナ派ムスリムのトゥルク諸国機構として連帯をし、ここを中心としてアフガニスタンや中東にその影響力を広げていくという構想です。だから、師匠のエルバカンが考えていたこととほぼ同じなんです。

中田　その意味では、今回のロシア・ウクライナ戦争は、棚からぼた餅的な感じで、トルコにとっては思いもかけないチャンスなんですよ。ロシアの影響力から離れて、優秀な人材がどんどんトルコに流入していますし、国としての求心力も高まってきている。

山本　そうですね。

中田　はっきり申し上げてトルコ人はあまり優秀ではないと思うこともあるのでね。そう言うとますますトルコ人は怒って、外国人排斥運動が起こったら困りますが、実際、国を動かすのは人材なんですよ。いろんな地域から優秀な人間がいっぱい来ていますから、彼らの力を借りて連帯を強めていくのが望ましいですね。

オスマンはトルコ人の帝国ではなかった

山本　オスマントルコという言い方は、正確な呼び名ではないという認識が現在では一般的ではないでしょうか。その理由としてよく指摘されるのは、オスマン帝国はトルコ人の帝国ではなかったということです。オスマン王家は基本的に、ウクライナなどの王女とトゥルク系の間に生まれている子孫ですし、さらに、オスマンのエリート層もクルド人、ボスニア人、アラブ人もたくさんいます。

トルコ共和国ができて一〇〇年経《た》ちましたが、国民国家としてはまだまだ新しいです。

中田 オスマン時代はギリシャ人が多かったんですよね。それがオスマン帝国が解体されトルコ共和国になったときに、帝国各地に住んでいたギリシャ人たちのほとんどがギリシャに移住していった。現在、トルコにはギリシャ人はほとんど残っていません。しかしコンスタンティノープルは第二のローマ、東方正教（オーソドックス）の総主教庁の筆頭格コンスタンティノープル総主教庁＝全地総主教庁の座ですので、コンスタンティノープル総主教はトルコに居残っています。総主教は外交の場では頑《かたく》なにトルコ語を使わず、今もイスタンブールをコンスタンティノープルと呼び続けていますよね。

山本 ビザンツの後継国家なので、いわばイスラーム化したローマ帝国とも言えるのかも。そこにはギリシャ系を中心に、今お話ししたようなさまざまな民族のルーツを持つ人たちがたくさんいたわけです。だから、「純化」とか「純粋な」といった言葉をトルコで聞くのが僕はすごく嫌いなんです。純粋なトルコ人なんて、そんなものは帝国には一つもなかったし、人間社会としてもそれって不可能なことだと思うんですよ。

中田　あの地域では地理的にも不可能ですよね。まさにアフロ・ユーラシア、三大陸の結節点ですからね。

山本　ちょうど真ん中にあるので無理に決まっています。だから今のトルコは表層的な純化をめざすのではなく、学問や文化を通じて、さまざまな地域の人々と連帯していくことが一番望ましいんじゃないかと思います。で、実際そういう方向に進みつつあります。

日本の没落を救う「アニメ日本語」

山本　今、ヨーロッパやアメリカにいるムスリムの二世、三世、ムスリム系アメリカ人もイスタンブールの寺子屋に勉強しに来ているんです。ところで、その人たちが一番好きなサブカルは何かというと、マンガなんですよ。寺子屋に勉強しにくるようなガチ勢のムスリムでも『NARUTO―ナルト―』は大好きなんです。

内田　へえ、そうなんですか。面白いなあ。

中田　ほんとうにそういう世界なので、ちょっと日本だと想像ができないと思いますね。

山本　実は先ほどお話しした伝統イスラーム学を支えるグローバルなネットワークも、ここにすべてつながっているんです。シリア難民を助けているクルド人も『NARUTO』に出てくるカカシ先生や自来也《じらいや》先生が大好きですよ。中田先生が書かれていたエッセイ（ウェブサイト集英社新書プラス書評「シリア、イラクで戦う相楽左之助《さがらさのすけ》――もう一度何が正しいかを自ら考え直すために」二〇一四年七月三一日）にも、イスラーム国（IS）の戦場に行くと、『るろうに剣心《けんしん》』のコスプレしているやつがいるとありましたね。

中田　あの彼はもともと流刑地だったシベリアから来たタタール人の子孫で、おそらくクリミア・タタール人かカラン・タタール人だと思います。彼は親世代が強制移住させられたシベリアからイスラーム国に移住してきたんです。私がシリアの都市ラッカのISIS（アイシス。ISの前身）の本拠地があるキャンプで若い戦士たちと寝泊りしていたところ、「日本人ですか」といきなり日本語で話しかけられて、びっくりしました。彼は、「僕はロシアで日本のアニメのコスプレをしていたんです。何のコスプレかって？『るろうに剣心』の相楽左之助ですよ」とうれしそうに話していました。

山本　それも〝アニメ日本語〟なわけですよね。アニメやマンガの中に出てくるキャラクターのセリフがそのまま日本語で飛び出てくる。

中田　そうそう。アニメ日本語で。彼らはアニメで日本語を覚えるわけだからね。イスラーム国でもアニメ日本語が通じるのかと、感動すら覚えました。私がラッカで出会った青年も、大変な日本のアニメ好きで、会話ができるくらい日本語をマスターしていましたよ。ひょっとすると、イスラーム国に入ったきっかけも、幕末から明治に理想をかけて戦った志士たちの姿を描いた『るろうに剣心』から何かを感じ取ったのかもしれません。

内田　アニメ日本語ですか……。

中田　これは不思議なことに私しか言ってないことで、日本のアニメ学の人たちも言いませんが、実はアニメ日本語の世界は、イスラーム国にも話者がいるくらい、大変な広がりを持った世界なんです。

内田　今日のお話、面白いです。シリアの難民が入ってきたせいで、イスラーム学のレベルが一気に上がった、とか、民族を超えたムスリムのコミュニティで日本のサブカルが親しみをもって共有されているなんていう話は僕は初めて聞きました。

山本　ムスリムたちの日本のアニメ好きは半端ないですよ。

中田　そう、トルコをはじめムスリム世界に行けば誰でも分かることなんですが、こうした話は日本のイスラーム中東研究者はひとりも言っていないです。アニメやマンガに関心がないのかもしれませんが。

内田　聞いてみるものですね。すごいですね、山本さんは情報の塊みたいです。現地にいて、そこで現場の生《なま》の空気を吸っている人ってほんとうに強いですよね。

中田　私もそう思います。私の知っているイスラームのネットワークも非常に限られていますので、それを山本君には全部引き継いでもらいました。私としては、それができただけでもとても満足しています。

山本　中田先生は学部のとき、僕に「君は日本に居場所はないだろうから、きっと海外に行くだろう」と言ったんです。言われたときはすごく悲しかったです。日本大好きだったから。でも、あれから歳月が経って、結果的に今トルコ六年目です。

中田　そうでしたね。私が紹介して、カタールにもう二〇年とか、そういう人がたくさんいます。アメリカの衰退によって世界が多極化すると、アメリカやヨーロッパ目線の偏った情報だけしか知らないと世界情勢を見誤ることになります。日本が生き残るためには、世界中に現地の文化に深く精通した地域専門家がいることが重要になってくる。世界に散らばったそういう日本人たちが、没落していくこれからの日本を支えていく、そういう時代になると私は思っています。

内田　昔は総合商社の営業マンが外交官も新聞社の特派員も行かないようなアフリカや中南米の奥地にまで商売をしに行っていましたし、プラント輸出だとふつうのサラリーマンがダムや発電所をつくるために世界各地に散らばっていた。そういう人たちが外交官もジャーナリストも知らない現地の生の情報を伝えてくるということがありました。でも、今はもうそういうことがなくなってしまった。世界に散らばって貴重な情報を伝えてくれる人のネットワークって、おっしゃる通り日本のような島国にとって死活的に重要だと思います。でも、見ている限り、日本政府にはそういう若者たちを支援する気はまったくなさそうですけどね。その意味では、こうして日本人にはあまり知られていないイスラーム世界の貴重な情報を伝える役割を担ってくれる山本さんの存在は、ほんとうに重要だと思います。何より話が面白い。

第二章
国民国家を超えた
オスマン的文化戦略を考える

山本直輝氏作のヒジャービー・ニンジャ。

中田　今、トルコにおける東アジア研究のモデルケースをつくろうという、世界征服の計画を立てているんです。

内田　世界征服……。文化戦略ですか？

中田　そうなんです。「ジャパン・アズ・ナンバーワン」と言われていた時代は、ほんとうに日本が豊かだったんですが、今にして思うと、そのときに日本が世界によいものを残したのかというと、多分何も残ってないと思うんです。その頃の日本人は実に精力的に世界中で日本製品を売りさばいていました。しかしその実態はというと、下世話な話になりますが、金を積み女を抱かせて現地の腐敗した政権に食い込んで利権を獲得して暴利を貪っていた。そんな日本人はエコノミックアニマルだ、と言われて批判され、まったく尊敬を得ていなかったんです。もちろん中には例外的にいい人もいたのでしょうが、しかし構造的に見ると日本人は汚い商売をやるということでまったく尊敬されなかった。製品の質はよかったので売れはしましたが、それ以外に何もよいものを残さなかった。

今も日本が素晴らしいと言っている人間は、個別の事例を取り上げて「こんないい人がいた。

こんないいことをした。それで日本は尊敬されていた」と言いたがりますが、全体としてはまさに今言ったように、むしろ軽蔑されていて、現地に何もよいものを残さなかったと言えます。

その中で、唯一尊敬されたものがあります。それが第一章で話題に出たマンガとアニメなんですね。日本のマンガの特徴に無国籍があります。日本という特徴を出していない。どのマンガやアニメを見ても日本人らしい顔をしてないキャラクターが多く、日本ナショナリズムを主張していないわけです。

さらに言うと、戦後日本のポップカルチャーが東南アジアを席巻《せっけん》するわけですが、それは戦前の日本ではありません。アメリカによって民主化された日本です。そのため日本のものというふうに意識されないままに、彼らに受け入れられていくんですね。マンガやアニメだけでなく、ドラマや音楽、それに服装や街並みまで、西洋化された日本がモデルになっています。東アジアと東南アジアの都市部の若者たちの間で日本文化がモデルになった、というよりも、もはやもともと日本から来たものであることが意識されないぐらいにまで浸透しました。

そうした背景があって、次の転機になったのは二〇一〇年ぐらいです。その頃からインターネットがアジア・アフリカでも普及し始め、ネットで動画を観るようになりました。固定電話や地上波のテレビがないところでも、ネットで動画が観られる、という状況が生まれたからです。それまでも日本のマンガやアニメは現地語に翻訳されて出版されたり、テレビで放映されたりして拡散し人気になっていましたが、本になったりテレビで放映されたりするまでにはけっこうタイムラグがありました。ところが今のオタクがすごいのは、日本で放送されたアニメをその日のうちに字幕をつけてネットにあげるんです。世界の日本のアニメ好きの若者はそれを観る。つまり彼らはほぼリアルタイムで日本語を耳で聞きながら字幕を読んで日本のアニメを観ているのです。こうしてずっと日本アニメを観ていると、アニメを観ているだけで日本語を覚えてしまう若者が出てくるんです。

山本　そうなんですね。好きで熱中して観ているから吸収も早い。

中田　はい。そしてそれが容易にできるのが、まず文化的に近い東アジア圏です。今でも韓国語などは、語彙の半分ぐらいは漢字の言葉で、日本語もそうなので、慣れてくると分かるわけですね。で、もう一つがトルコ（チュルク）語圏です。文法構造がほぼ同じで統語論的に語順が一致するので、聞いていて、トルコ語の字幕を観ると、文法を習わなくてもほぼ意味が分かってしまう。こうしてアニメが日本の文化を世界に広めているわけです。

いっぽうで、中国の孔子学院や韓国の世宗《セジョン》学堂は文化とセットで教えている。でも、それはあくまでナショナリズムなんですね。我々はそうじゃなくて、国家を超えた「東アジアの文化」として、かつ言語の違う人々とのコミュニケーションツールとして、マンガやアニメを推進したいと考えているのです。

アニメ日本語をリンガフランカに

山本　イスラーム世界を結ぶサブ・カルチャーとして日本のアニメやマンガがあるのは素晴らしいことですね。僕の周りでも『NARUTO』のアニメで使われている日本語だけでしゃべる学生がいます。

イスタンブールの大学で日本文化に関するイベントをやったときに、後ろからいきなり「また会ったな」って声をかけられました。振り向いたら、会ったこともない学生なのに、「うまくやっているようだな」と言われた（笑）。聞いたら、『NARUTO』など日本のアニメの大ファンで、好きなキャラクターの言葉だけで日本語を覚えていたんです。特に一番好きなシーンが、長年恨みを抱き続けていたキャラクターと会ったときの会話だそうで、そういうマンガの中のキャラクターのセリフで会話が成立すると思っているんです。実際、確かに成立はしているんです。僕も分かっているから。「だってばよ」と言うのもそのノリのやつですね。

中田　それをオタクの言葉だからダメだと頭ごなしに言うのは間違っていますよね。私はむしろ貴重なコミュニケーションの機会だと思います。

今、若者の間に教養というものがなくなっています。昔のように教養としてみんなが読んでいたものがなくなっているからです。ところが『NARUTO』のような人気マンガが、まさに昔の古典にあたるような現代の若者の基礎教養になりつつあるんです。だからこそアニメの日本語を教養語として身に付けるべきなんですよ。しかも、そうしたマンガに込められたメッセージは非常に東アジア的なもので、学ぶに足るものです。さらに言うと、実はその価値観がイスラーム圏ともかなり近いのです。

例えばそれは師弟の関係とか、修行とか、身体知とか、そういう理念だったりします。ですから、今、まさに戦後日本の理念を世界に広めていくチャンスが到来している。そのためにはまずトルコ世界で、東アジア研究、それも日本と中国と韓国の密接不可分な地理的・歴史的・政治的・文化的・経済的相互交流を視野に収める方法論を生み出そう、教える側がまず自分たちで東アジアの諸民族の協和、共和を体現し、その姿を示すことで、東アジアの一体性、共存の在り方をトルコ世界に知らしめていこう、というわけです。その一環として、中華文化圏の共通遺産である漢文文献を読むための共通語「古典中国語」と、現代東アジア文化を知る共通語「アニメ日本語」、この二つを語学の必修基礎教養科目として位置づけて、「東亜趣味者（オタク）トルコ系諸民族向けアニメ日本語」の教科書をつくろうと計画しているんです（教科書の草稿を手に）。

内田　それが教科書なんですね。

中田　はい。まさにそういう話なんです。これぐらい説明しないと分かってもらえないし、説明しても耳を傾ける人は少ないと思うんですけれども。

山本　僕も今やっと分かりました。相変わらず考えがぶっ飛んでますね。アニメ日本語から広げる考え方は、ほんとうに面白いと思います。

内田　『のだめカンタービレ』の中で、のだめがパリに行ったときに、フランスで放送している日本のアニメを観るんです。フランス語吹き替えなんですけど、のだめはそのアニメの熱烈なファンで、すべてのエピソードのすべてのセリフを覚えているので、フランス語でも意味が分かる。そうやってアニメの中のセリフとして丸ごとフランス語を覚えてしまう。

中田　みんな覚えている。今のオタクってそういう感じですから。

挨拶は、「心臓を捧《ささ》げよ」

山本　アラブにはフスハーという正則アラビア語があるんですが、ちょっと前の世代の人は、このフスハーをクルアーンで覚えるよりも、なんと、まず『UFOロボ グレンダイザー』で覚えているんですよ。これは永井豪《ごう》原作のロボットアニメです。日本ではあまり有名になりませんでしたが、フランスとレバノンですごく人気だった作品なんですよ。一九七〇年代、八〇年代のレバノンは、吹き替えをしてくれる有名な俳優がたくさんいた時期で、彼らはみんなきれいなアラビア語がしゃべれました。一流の俳優がクルアーンで使われているようなきれいな文語で『グレンダイザー』の吹き替えをしていました。見てくれは『ちびまる子ちゃん』だけど、セリフは浄瑠璃とか能みたいなすごい格調高いアラビア語でしゃべっていたりするので、エリート層でもみんな観ていました。『グレンダイザー』のアラビア語って、彼らにとっては古典なんです。でも、今の世代は吹き替えられたものではなくて生の日本語で聞いている新世代なんですよ。だからアニメ日本語がここまで普及したんです。

中田　そうです。これが、ほんとうにこの一〇年間の新しい現象なんです。

山本　みんな、僕を見ると「心臓を捧げよ」と言ってきますよ。これは『進撃の巨人』の挨拶（笑）。「こんにちは」よりも「心臓を捧げよ」が挨拶だと思っているんですね。リンガフランカ（普遍言語）になりますよ。むしろ日本人がこれに合わせればいいんじゃないかな。僕らの今の日本語を捨てて、アニメ日本語をしゃべる（笑）。

内田　アニメ日本語がリンガフランカになるんですか。それもいいかもしれないですね。

山本　だって英語もそうじゃないですか。アメリカ人って、ネイティブ同士で話している英語と、リンガフランカとして使っているときの英語は違いますからね。アニメ日本語もそれにしちゃえばいいんじゃないですか。

内田　なるほどね。日本が多民族多宗教の帝国になったとき、共通語はアニメ日本語……。

山本　日本が国際会議を開くときには「だってばよ」で話せばいい。挨拶は「心臓を捧げよ」とか。これいけますよ。僕の学生はみんな飛びつくと思います。だって、自分が勉強した日本語がそのまま使えるようになるわけですから。

中田　アニメの言葉で話しかけられても、我々は理解できるわけですからね。少し変には感じますけどね。でもそれは語学の教科書の例文でも同じことです。友だち同士で「こんにちは、お元気ですか」「さようなら、ごきげんよう」なんて言いませんよね。ふつうは「よう」「じゃあね」でしょう。

山本　中田先生と集英社の少年マンガを使って日本文化の解説をするような企画をやりたいという話があるんです。例えば『ＮＡＲＵＴＯ』のラーメンを食べているシーンを抜き出して解説をするとか。ラーメンっていつからあるのかとか、どういう味なのかとか、みんな聞いてくるんですよ。『鬼滅《きめつ》の刃《やいば》』も、呼吸法がたくさん出てくるじゃないですか。作中に、敵にやられたときに血を止める呼吸法が出てくるんですよ。あれも「ほんとうに血は止められるのか？」と学生に聞かれて。「あの呼吸法はどれだけほんとうなんだ？」と、みんなすごく知りたがっている。

内田　呼吸法で血は止められません（笑）。

山本　修行して頑張ればいけるかもしれない（笑）。

プレゼンスが低下する日本

中田　そういう志で、こういう教科書づくりの企画などを構想しているんです。これからユーラシアが中心になっていく時代の局面の中で、ヨーロッパだけじゃなくて、中国、ロシア、トルコが、東アジアとどう関わっていくかというときに、彼らに対して、東アジアのアイデンティティと、特に戦後の日本の平和主義のような我々の思想を含めたメッセージをどうやって伝えていくかという話ですね。それが、これからの東アジアの未来をつくると思うのです。もっとも、それには非常に難しい問題がたくさんあることも事実であり、それは分かってはいるのですが。

というのは、最近のトルコでは、人気の面で完全に日本は韓国に抜かれているんです。しかも、特に韓国人の場合、ボランティアでトルコで韓国語、韓国文化を教えたいという人がいっぱいいるんです。ただ、韓国人にとってネックなのは、そのボランティアの中には熱心なクリスチャンの福音派の人たちが多いことです。トルコの場合は宗教的には世俗的な人間も多いので、クリスチャンだからと言ってあまり抵抗感はないんですが、共和国の建国の歴史のせいで、文化的にイスラームがアイデンティティになっているので、やっぱりキリスト教の宣教を表に出されると、イスラーム教徒が絶対多数の社会の中では、あまりうまくいかないんです。

山本　そうですね。中国語も人気がないです。中国人はみんなウイグル人を弾圧している敵だと思っているのか、けっこう偏見も多い。

今のお話のように、日本語を勉強したいという人は徐々に減ってきていて、韓国語の方が圧倒的に人気ですね。韓国政府も、トルコで韓国語の作文コンテストとか、音楽グループＢＴＳのダンスコンテストなどを開いて、優勝の景品を韓国旅行のチケットにしたりもしています。トルコの学生向けの奨学金制度も充実させて、枠はそんなに多くはありませんが、修士の二年間ぐらいは完全に学費を出します、という大学もあります。その場合も韓国政府が完全に援助しているので、日本よりも韓国の大学院に留学する機会が増えているかもしれません。

サムスンとかシャオミといった携帯電話会社がマルマラ大学のキャンパスの中にブースを開いて、携帯が当たる景品を用意してビンゴ大会をやっているんですよ。でも、イスタンブールでソニーとか東芝は、全然見たことがない。長いこと見かけないから、トルコにいる日本人も、そういう企業あったっけ？という感じです。だから今、日本と言われたときに、思い浮かべられるものといったら、寿司《すし》とアニメしかないですよ。「アニメってそんなに大したものなの？」って聞いてくる日本人もいるんですが、逆に言えば、日本が大したものだと思われている分野ってアニメしかないんです。「いろいろな魅力的なものがあってアニメもすごい」ではなくて、何の魅力も残ってなくて、唯一残っている魅力がアニメとマンガくらいになっているのが現状です。

中田　日本政府が全然そういう文化交流政策をやらないんですね。ところが、韓国とか中国は官民一体で国策としてやっているので、まったく太刀打ちができない。その中でどれだけ日本語を広めようかと考えると、アニメ日本語を共通言語とすることが一番戦略的に効果的だし、日本のためにもなる。と同時にアジアのためにもなると。

内田　先生は愛国者だなあ。

中田　私はパトリオット（愛郷者）という意味での愛国者ですよ。そもそも日本語しかまともにできないもので。

日本が文化発信する最後のチャンス

山本　文科省と集英社が組んで、中東諸国に集英社支部や、少年ジャンプミュージアムとかつくれば、めちゃくちゃ受けると思いますよ。

内田　一九六〇年代にアフリカや中南米に日本が進出したときに最先端にいたのは外務省じゃなくて総合商社の営業マンでしたからね。日本のお役所にグローバルな文化戦略をするのは無理だと思います。孔子学院みたいなものを、一九八〇―九〇年代の日本にお金が唸《うな》るほどあったときになぜやらなかったのかな。誰も提言しなかったんですかね。

中田　日本政府が主導したクールジャパン政策も完全に失敗しましたので。

内田　別にそれほどたいした戦略なんかいらないと思うんです。日本語と日本文化を勉強したいという人たちには無料で教える。そこで学んで日本語ができ、日本文化の基礎的な知識を持つようになった人たちに奨学金を給付して、日本の大学や大学院に受け入れる。そこで学位を取ってもらってから祖国に帰って、そこで政治家や官僚や学者やジャーナリストになって、彼らが親日派のケルン（中核）を形成する……。これ、イギリスやフランスがアジアやアフリカで一九世紀以降ずっとやってきた植民地経営の基本中の基本じゃないですか。文化戦略として きわめて有効だったことは、植民地支配を脱した後も、イギリスやシンガポールや香港《ホンコン》のエリートたちがいまだにオックスフォードやケンブリッジでの最終学歴をめざし、ポロをやったり、ヨットをやったりして、「英国紳士」の真似《まね》をしていることからも分かります。

日本だってそこそこの帝国主義国家だったのに、なぜ先行する植民地帝国が文化戦略として成功した事例を学習しなかったのか。僕はそれが不思議なんです。だって、それが費用対効果がもっともよいやり方なんですから。確かに植民地のオリジナルな文化の発展を妨げる犯罪的所業ではあるんですけれども、剝《む》き出しの収奪とか、政治的弾圧に比べたら、「わりとまし」なやり方だったと思うんです。大日本帝国の戦争指導部には、この「わりとまし」なやり方を吟味するという思考習慣がなかったみたいですが、その欠点は戦後日本政府の対外戦略にも引き継がれている。

中田 今が最後の最後のタイミングだとほんとうに思いますね。

内田 日本にはもう「この後」がないですからね。

中田 ほんとうに今が最後のチャンス、という自覚は持った方がいいと思います。

内田 今は日本のマンガやアニメも力がありますけれども、これだって必ず栄枯盛衰があるわけで、集英社には申しわけないけれど、マンガもアニメも、おそらく今がピークで、これから後は日本の文化的発信力は、マンガやアニメも含めて急速に低下してゆくと思います。

山本　いいアニメーターを中国の会社が引き抜いているらしいですね。

中田　そうしたら内田先生にも関係が深い武道はもっと可能性があるので、これを広めていきましょう。

内田　そうですね。武道ならまだ可能性があると思いますよ。僕はとりあえず、合気道が世界に広がることについてはしごく楽観的なんです。

山本　僕は、武道の素人なので、学生向けに話すことはあまりないんですが、でも、合気道の道場はイスタンブールにたくさんあります。

内田　え、イスタンブールにもたくさんあるんですか！

山本　地区によっては通りに数軒並んでいるところもありましたよ。

内田　すごいですね……。

中田　誰が教えているの？

山本　トルコ人です。日本で習ってきました、という人が道場を開いてやっていますね。僕はまったく合気道に詳しくないんですけど、合気道の先生の写真を三枚飾っています、道場に。

中田　植芝盛平《もりへい》先生（一八八三―一九六九。合気道の開祖。日本伝統武術の奥義を極め、独自の精神哲学で武術の境地を開いた総合武道家）と……。

内田　あと植芝吉祥丸《きっしょうまる》先生と今の植芝守央《もりてる》道主の写真かな。

中田　内田先生にはちゃんとした合気道の精神を伝えてもらうためにも、ぜひイスタンブールにいらしていただきたいですね。

トルコにも、伝統武道という点では、トルコレスリングなどもあり、今再注目されてすごく保護されているらしいんです。武道もブルーオーシャンなので、これから研究を進めていくと面白いですね。

山本　そうですね。トルコという社会自体が、トルコ共和国になってから伝統的な文化が長い間忘れさられていたんです。武術的なものは今お話に上がったレスリングなどがありましたが、建国から六〇年、七〇年の間はずっとストップしたままで、旋回教団（メヴレヴィー教団）も、実はプロの人間なんてほとんどいないんです。師匠と弟子の系譜は基本的には断絶しているケースが多いです。

トルコ人からよく、日本では宗教が全部死んで文化しか残ってないんでしょうとか、宗教性を表現するようなものは残ってないんでしょうと聞かれますが、それは違いますよね。我々が神性をどう表現するのか。それは生活の中にいろいろな形で残っているわけです。表現の仕方が違うだけであって、武術もその一つだし、あるいは神社に行ったり寺に行ったりするのも我々の表現の仕方です。そういう生活ぶりを実際に見てないから分からないのだと思います。トルコ人は、日本人が世界で一番世俗化した民族だと思っている節がありますが、僕はそれは違うと思っています。

中田　逆もありますね。「まだ忍者はいるのか？」とか、そういうのもあります。

山本　両極端な説が残っているんですね。そこのバランスは、日本人が地道に説明しないと、いつまで経ってもよくならないと思います。

武術と礼拝の「型」に見る宗教的相似点

山本　実は僕、内田先生と一度お会いしたことがあるんです。僕がまだ学生だったときですから、もう一三年くらい前です。中田先生が内田先生の武術の授業に参加されたことがあって、僕も一緒に同行させていただいたんです。

内田　中田先生が居合の稽古にいらしたことはもちろん覚えていますよ。あのときは、うちの門人で、中田先生の授業を受けている同志社の博士課程の院生さんがいて、彼が「僕の先生で面白い方がいて、ぜひ居合をやりたいと言っているんですが」と言うので、どうぞおいでくださいと言ったら、中田先生がいらした。

中田 それが内田先生との最初の出会いでしたね。

内田 あのとき、山本さんもいらしていたんですか。

山本 はい。僕は部屋の端っこで中田先生の居合の体験授業をずっと見ていました。中田先生がなかなか刀を抜けなくて、苦労されていました。あれは腰を回さないと抜けないじゃないですか。

中田 あのときは自分がここまで不器用だとはまったく自覚してなかったんですね。

山本 はい。何をやっても抜けなくて、最終的に刃を持ってがっと抜き出した。真剣だったら手が切れていたと思います。

内田 僕の模擬刀をお貸ししたんですが、終わったときに、お返しいただいたら、柄巻《つかま》きの紐《ひも》が汗でぐっしょり濡《ぬ》れていました。掌《てのひら》の汗だけで、これほど濡れるとはと思って、ちょっとびっくりしました。ものすごく真剣に稽古されていたんですね。抜刀、納刀って、初めてやっていきなりできてしまう人と、なかなかできない人がいるんです。これは器用不器用ということとはあまり関係ないんです。誰でも少し稽古したらちゃんとできるようになりますから。なぜだかよく分かりません。もしかすると「刀を抜く」「刀を納める」という動作について、はっきりとした先入観を持っていると、その脳内のイメージに合わせて身体《からだ》を使おうとするので、うまくゆかないのかもしれません。

逆に、刀を持ったときに「生まれて初めての感覚」だと思って、自分の因習的な身体の使い方を「手放す」ことができたら、わりとすっとできるのかもしれない。その辺はよく分からないんです。とりあえず運動能力が高いとか低いとかいうこととは関係ないんです。でも、あれっきり居合のお稽古に中田先生は来られなくなったので、残念だなと思っていました。

中田　できる前に、指がなくなっちゃうでしょう（笑）。

山本　でもあの居合授業に連れて行かれたときも、「山本君は武術をやりなさい」と言われていた。そのときはあまりピンときてなかったので結局やりませんでしたが。

さらに学部のときにマレーシアに連れていかれたときも、「山本君、これからはアニメをやりなさい。アニメしか日本が自慢できるものは残っていないから」と。そして、次章でお話する「スーフィズム入門」（ウェブサイト「集英社新書プラス」に掲載された山本の連載。集英社新書『スーフィズムとは何か――イスラーム神秘主義の修行道』として二〇二三年八月刊行）も、自分で思いついたかっこいいテーマかと思ったら、中田先生のテーマだった。ということで、師匠は常に僕の先を歩いておられます（笑）。

振り返れば、日本から何が発信できるのか、いつも中田先生は真剣に考えてこられたんだと思う。トルコ人の日本研究者は大体一九七〇年代から一九八〇年代の、一番日本が勢いがあったよい時代を主に知っているんですが、今の日本の疲れ切った感じや、疲れ切ってなおもこの文化をなんとか残そうと頑張っている若い世代の努力を知っている人はほぼゼロです。そこで今、日本に生きている我々が、発信できる術《すべ》を考えることはすごく大事だと思います。僕自身はもうトルコに移住していますが、気持ちは一緒です。

例えば武術実演であっても、実演するだけではなく、この武道着にどういう意味があるのか、この動きにどういう意味があるのかといった解説や説明がちゃんとできる人材を増やすことも必要ですよね。

中田　そうですね。文化を伝える人材は大事です。

山本　内田先生はお詳しいと思いますが、武術には「型」というものがありますね。これは宗教の儀式の型にも通じていると思うんです。イスラームの礼拝の仕方、動きにも、全部型があり、その型には意味がある。ですから、預言者の型を今に受け継ごうとするという点で武術とは相似しているんですよね。イスラームの礼拝の型を日本人に紹介するために日本語に訳している外国人ムスリムの説教師もたくさんいるんですが、その「型」に込められた内実を分かっていないと伝わらない。英語のフォームという言葉を使っても説明しきれないし、いつまで経っても日本人には理解しにくい。でも、武術の型をふまえると伝わるものがあると僕は思うんです。

余談ですが、礼拝する前の清めの動作（ウドゥー）について、イギリスのシラット（東南アジアの伝統武術）のマスターが鋭いことを言っていました。そのマスターが、「ウドゥーもそのままでマーシャルアーツ（武芸）なんだ」と言ったんです。「これを極めればこれだけでも人を倒せる」と。「ここにはすべての完璧で無駄のない美しい動作が宿っている」と言われ、なるほどとすごく腑《ふ》に落ちた感じがしました。こういう感性は、日本人であればわりと共有しやすいのかなと思います。

中田　こうした状況を知っていただくにはまずトルコに行ってもらわないと分からないので、内田先生もお弟子さんを連れて、いつか行っていただきたいですね。最悪自分がいなくても知人に頼んでできる限りおもてなしをいたします。トルコはコロナだろうと何だろうと大歓迎ですから。今、先ほども言いましたが、トルコには大勢のロシア人も流れてきていますし、それだけでなく世界中からの亡命者が集まっています。そういう状況がつぶさに見られますので。

内田　世界中からの亡命者ですか。大戦間期のウィーンとかチューリッヒみたいですね。

中田　ほんとうにそうなんですよ。あまりにもスパイが多過ぎて取り締まりようがない。中東の多民族社会、バイリンガル、トリリンガルが当たり前の中では、ある意味で、みんなスパイともいえます。

内田　すごい話ですね。イスタンブール、僕の身体がちゃんと動くうちでしたら、お招きに与《あずか》りたいですね。山本さんのお話のように武道の術理は深いところでは宗教に通じるものがあります。ですから、情理を尽くして説明すれば、多分トルコの人にも分かってもらえると思います。

それに、世界中どの文化圏にも「武道的なものが好き」という人って、必ず一定数はいるんです。着物を着て袴《はかま》をつけたいとか、刀を腰に差してみたいとか、道場に正座して神棚に一礼したいとか……、そういうことに強い憧れを持っている人が、どこの文化圏にも一定数はいるんです。その人たちは、それぞれの社会ではちょっと「浮いている」。でも、なぜか日本の伝統的な文化に宿命的な「結びつき」を感じている。別に誰もそんなことを教えていないのに、「私は日本武道を学ぶために生まれてきたのだ」というような強い思い込みを持っている人たちって世界中どこにもいるんです。こういう人たちが、その文化圏での日本文化の「伝道者」に育ってくれるわけですから、できるだけ大切にしたいですね。

第三章
東洋に通じるスーフィズムの精神的土壌

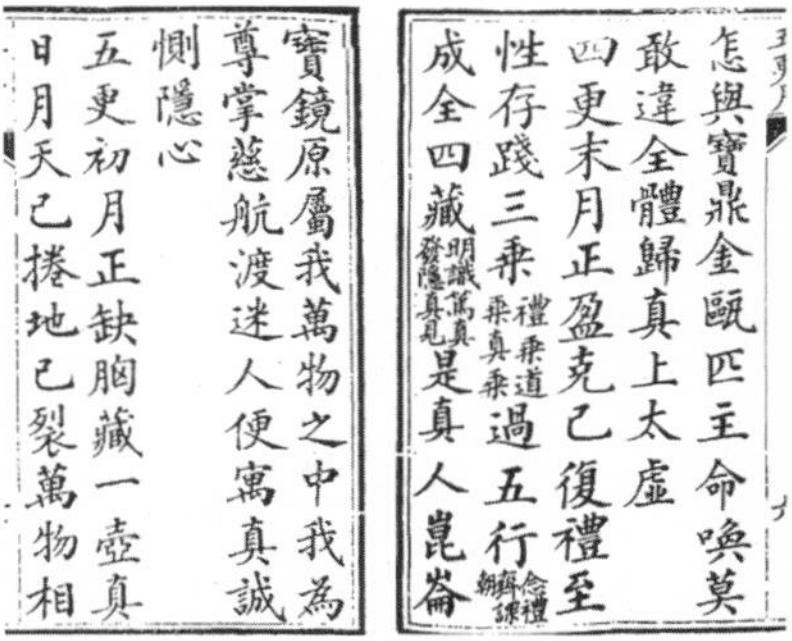
怎與寶鼎金甌匹主命喚莫
敢違全體歸真上太虛
四更末月正盈克己復禮至
性存踐三乘禮乘道乘真乘過五行念禮齋課朝
成全四藏明識篤真發隱真見是真人崑崙

寶鏡原屬我萬物之中我為
尊掌慈航渡迷人便寓真誠
惻隱心
五更初月正缺胸藏一壺真
日月天已捲地已裂萬物相

漢語で書かれたイスラーム古典。

トルコ、コンヤのスーフィーの舞踏。

イスラームの味わい

内田　山本さんは、スーフィズムの入門書『スーフィズムとは何か――イスラーム神秘主義の修行道』をお出しになりました。イスラームの信仰の在り方について、とても分かりやすくかつ深く解説されており、とても後味のよい読書でした。詳しくはそちらに目を通して欲しいのですが、本書の読者のために、あらためて伺います。イスラームにおけるスーフィズムとはどういうものなんですか。

山本　スーフィズムとは伝統イスラーム学の分野の一つです。伝統イスラーム学には神学と法学とスーフィズムという三分野があります。神学は理性神学に近く、論理学、理性学、哲学を一緒にしたような学問です。一番重要なのは中田先生が専門にされている法学で、法学に比べればスーフィズムも神学も学問的重要度は下がります。法学は、刑法や民法のほかに、礼拝の仕方、喜捨の仕方など、人間の行動規範を学問として突き詰めていく大事な分野です。

この三分野の中で、スーフィズムは一番後にできてきたものです。日本語ではよくイスラーム神秘主義と訳されていますが、神秘主義というのも実はスーフィズムの一分野でしかありません。井筒俊彦先生（一九一四―一九九三。日本の言語学者、イスラーム学者、東洋思想研究者、神秘主義哲学者）が日本に紹介されたことで一気に広まった分野です。
日本人に分かりやすい表現を使うと、イスラーム修行道という言い方が一番原語に近いかもしれません。
内田 スーフィズムは修行道なんですね。
山本 はい。スーフィーという修行僧の人たちがいて、彼らが実践した修行道です。神学や法学は論理で考えますが、スーフィズムは精神統一や修行を通じて「イスラームの味」を味わうためのものだとよく言われるんです。仏教で味得という言い方をしますね。アラビア語でもまったく同じ用語でザウク（味わい）という言葉があります。スーフィズムとは真理の味わいを感じる舌を養う学問だとも言われているんです。
小麦や米など同じ食材を持っていても、それをどのように料理して味わうかは地域ごとに違うように、その真理をどのように味わうかは、個々人によっても異なるし、その人たちが生きている地域によっても異なります。
内田 なるほど。それぞれ真理の味わいが違う、と。
山本 そうです。スーフィズムの修行には二つ分野があって、一つが下降する弦（ヌズール）と、もう一つが上昇する弦（ウルージュ）。ヌズールは、神がつくった森羅万象の中で人間がどのように位置づけられているかを修行の中で味わいましょうというもの。上昇のウルージュは、森羅万象の中でどう自分がつくられてきたかを理解した後で、さらに真理にいたれるよう修行しましょうというものです。

例えば日本の古典にも『万葉集』や『古今和歌集』など、森羅万象の美しさを歌うものがありますが、イスラームでは、自然の美しさを歌うだけではなくて、その背後に神はどう在らせられるのかを、論理ではなく感じ取ろうとします。それが下降の弦です。上昇の弦に関しては、先ほど言ったように生きる場所によっていろんな真理の味わい方があるということですね。

そのことを予言的に表現した、フランス人の改宗ムスリムで哲学者のヴァンサン・モンテーユが書いた『イスラームの五つの色について』という本があります。そこには、イスラームは厳格でかっちりしたイメージがあるが、イスラーム自体は透明な水のようなものだと書かれている。水のように、地域に流れ込み、その土地の色を反映し、各地の文化を発展させていったのがイスラーム文明であり、その五つの色とは、アラブ文化から発したペルシャ・インド、トルコ、マレー、アフリカであると。そしてこの本をよく引用するイギリスのムスリム知識人たちは、いずれ六番目の色としてヨーロッパのイスラームが現れることを予言している。つまり、ヨーロッパにはヨーロッパ独自の「イスラームの味わい方」があるはずだということです。

タウヒードという神の唯一性はどこに行っても変わらないけれども、その唯一性をどう表現し、体現するかは地域ごとに違う。マレーに行けば東南アジアの土着文化や建築様式からインスピレーションを得たものにタウヒードが宿ることもあるし、トルコに行けば中央アジアの遊牧民の文化を反映したようなイスラーム文化があり、インドに行けば、南アジア的な味わいがある。ことほどさようにイスラームの味わい方は異なりを見せて奥深いのだということです。

中田　そうですね。でも、各地に流れるイスラーム文明の多様性をいろいろな学者が言及してくれることはいいのですが、なぜか東アジアの視点が抜けているんですね。そこが我々としてはもどかしいわけです。

山本　そうですね。イスラーム文明の偉大さを語るイスラーム学者や研究者はたくさんいるのに、東アジアへの視点が抜けている場合がとても多い。これは今のムスリムにも言えるし、西洋人の最大の無知の部分であると思う。特に中東のムスリムは、東アジアについて言及する重要性を分かっていなくて、東アジア人などイスラームのリテラシーが何もない無知な人たちくらいのイメージしかないいんです。

中田　明らかに勉強不足ですね。

山本　中国でのイスラームの歴史を見ると、一番古いモスクは七、八世紀のものだと言われています。要は、預言者ムハンマドが亡くなって一世紀以内、日本でいうと奈良時代にはもうモスクができていたわけです。もともと中国にはアラブ系とペルシャ系の商人がずっといたんですが、時を経ることで、明《みん》の時代には見た目も我々と同じような中国人になって、独自の伝統をつくっていくんです。例えば中国のムスリムたちは漢語を使って彼ら独自のイスラーム古典の伝統をつくったり、建築や書道、武術など中国イスラーム文化を創造したりしました。

それを考えると、アラブをイスラーム発祥の地として、ペルシャ・インド、トルコ、マレー、アフリカに負けないくらい、我々の暮らす東アジアもイスラームの文化的営為によって培われた語彙がたくさんあるんです。さらにイスラームと東アジアとの融合的な文化も豊富にあるので、本来は東アジア人もイスラームのリテラシーが高いはずなんですよ。

でも、ヨーロッパも中東のムスリムもそれを完全に忘れているし、我々もそれを忘れているのが現状です。今までイスラームを理解しましょうという本がたくさん出ていますが、それらに描かれたイスラームとは東アジアから離れたところにある、結局他者なわけです。けれど、歴史を見ると実は他者ではなく、自分自身の歴史の中にイスラームはあった。つまり、僕たちが生きている東アジアの文化や語彙で「イスラームを味わう」ことはできるはずなんです。

中田　東アジアを一つの文化圏と考えると、そういうことができるわけなんですね。

山本　日本は、イスラームとの関わりがほとんどない、世界でも例外的な国なので、イスラームやムスリムってずっと異質な存在のままなんですね。でも、アイデンティティは自分の見方次第でいくらでも変えられますよね。自分たちのアイデンティティを東アジア人として位置づけてみると、イスラーム文明との関わり方をあらためて考えることができるんじゃないか――それが今の僕の問題意識です。

内田　僕は自分のことを「東アジア人」というアイデンティティで考えたことって、ほとんどなかったんですけれども、確かに中国や韓国やベトナムと「なんとなく一緒」という感じはあるんです。中尾佐助の「照葉樹林文化圏」というのがありますよね。あれは雲南省から台湾、日本列島を覆う広大な文化圏が存在したという仮説で、学術的な当否は措《お》いて、今の国民国家の国境線を越えた広々とした「文化圏」が存在するというアイディア自体が僕はすごく好きなんです。この文化圏は農耕技術や食文化や生活文化においていくつもの共通点が指摘されています。お茶を喫したり、竹細工をつくったり、鵜飼《うか》いをしたり、漆器をつくったりしている。僕は「東アジア」と聞くと、なんとなくこの照葉樹林文化圏のことを思い描くんです。

そこにイスラームが流れ込んできていて、僕たちには気づかない形で、「東アジアとイスラームの融合的文化」がどこかに存在したのではないかという山本さんの仮説、僕は非常に惹《ひ》かれます。そういうの、好きなんです。学説について「好き嫌い」を言うのはおかしいんですけれど、正否はともかく、その学説についてあれこれ考えているだけで、頭の中を涼風が吹き抜けるように気持ちがのびやかになるということってあるじゃないですか。そういうの好きですね。

東洋に通ずるスーフィズムの本質

山本　先ほどスーフィズムを日本に紹介した井筒俊彦先生の話をしましたが、実は井筒先生も東洋的な立ち位置からスーフィズムを研究された方なんです。スーフィズムという分野で、神秘的な思索を突き詰めると、アッラーさえも超越した、人格神よりもさらに上にあるメタゴッドのような存在があるという東洋共通の神性を下敷きにした東洋哲学を打ち立てた。それがヨーロッパで大受けして、世界的に有名になったんです。

井筒先生は、そのような東洋哲学をスーフィズムに見出しましたが、スーフィズムの古典を読んでみると、アッラーはどこまでいっても人格神です。そのアッラーという豊かな人格神を理解するには、人間はあまりにいびつで不完全な存在に過ぎないし、その道のりは遠過ぎる。

だから、スーフィズムの修行はふたり以上で行うんですね。修行の過程には必ず弟子を支えて稽古をつけてくれる先生がいます。先生の生きざまを見ながらお弟子さんも一緒に修行して、支え合って、二つの不完全なものが完全なものを理解しようとする。その営みがスーフィズムの本質なんです。

旋回教団（メヴレヴィー教団）というスーフィーの修行集団がトルコにあるんですが、旋回の修行も確かに神を理解する大切な修行なんですが、実はもっと日常的に修行している分野がある。先に紹介した『スーフィズムとは何か』でも述べたのですが、それが料理なんですね。メヴレヴィー料理と呼ばれていますが、日本でも精進料理や典座《てんぞ》といった禅宗のお寺の修行とかありますね。あれとよく似た感じです。

メヴレヴィー教団に弟子が入ってくると、まずは厨房《ちゆうぼう》の床ふきから始めさせる。ちょっとランクが上がるとスープづくりに参加させる。いろいろ料理を覚えてさらにランクが上がって師範代的な修行集団のナンバー2になると料理長になるのです。メヴレヴィー教団の開祖ルーミーは自分の修行の経験を料理に見立てて、「私は生《なま》であったが、料理され、こんがりと焼けた」と表現しています。自分は自分自身がこの世界というレシピの中でどのように使われるべき素材なのかも分からない若輩者だったけど、修行によって鍛えられ、そして神の愛によって心身焼き尽くされ無我の境地にいたった、という意味だそうです。ですから、この教団にとって厨房で調理される食材は修行者のシンボルなんです。

まさに永平寺の修行の感じです。哲学的思索とは異なる次元の修行文化の中に、イスラームにおける大切な教えがたくさんあるんですね。

内田　その料理に対する考え方には禅に通じるものを感じますね。禅宗だと「典座」という僧たちの食事を司《つかさど》る職掌は、非常に重要なポストなんですよね。

山本　ほんとうにそうですね。NHKのドキュメンタリーなどで永平寺の修行を観ると、そう感じます。精進料理の薄味の感じとか、その味を実感として知っている我々にとっては、この修行の大切さってけっこう分かりやすいものじゃないですか。

例えばシャーベットは、イスラーム文明でできた甘味なんですが、チレという四〇日間の断食修行の後にメヴレヴィー教団の人たちが食べていたんですね。あの甘みは、一度世界から隔絶されたような厳しい修行を終えた後にやっと分かる世界の甘みの象徴なんです。ちょっとの氷と果汁を少し搾ったぐらいの甘みなんですが、断食後に食べると、こんな甘いものは食べたことがない、ということに気づくわけです。

スーフィズムというのは頭の中で考える哲学というよりは、どちらかというとこういう世界なんです。身体で体験をして、世界の甘みや苦み、あるいは神の愛、神の厳しさをいろいろに味わう修行です。そしてこの「イスラームの味わい方」には、文化圏によってさまざまな「料理法」がある。トルコのメヴレヴィー教団では料理や旋回舞踏、東南アジアではシラット、東アジアでは拳法など武術を修行に取り入れたりします。スーフィズムは歴史的にさまざまな文化圏で培われた、いろんな修行の語彙や技術を柔軟に取り入れてきました。

内田　修行を通じて宗教の高い境位に達するというアイディアは、山本さんが言われるように、もしかするとイスラームと東アジアに共通するアイディアかもしれません。キリスト教では「行《ぎょう》」に相当するものって、あまり聞いたことがないんです。断食とか、無言の「行」とか、自分自身を鞭《むち》打つとかいう激しい苦行を行う修道士はいますけれども、それはごく例外的な人たちの話であって、一般の信者たちは「行」に類することはあまりやらない。日曜に教会に行ったり、クリスマスを祝ったりはしますけれども、これは「行」とは言いませんよね。それに比べると、僕たち日本人は日常的に、かなりカジュアルに「行」を修しているような気がします。僕くらいのふつうの武道家でも、道場での稽古はもちろんですけれども、それ以外にも毎朝道場で「お勤め」をするし、滝行をしたり、禊祓《みそぎはら》いをしたり、瞑想《めいそう》をしたりもする。いっぽうで千日回峰行のような超人的な「行」もあり、朝起きて神社仏閣に散歩しに行ったついでにお参りするというような「行」もある。人それぞれの宗教的な関心の深さや成熟度に応じて、いろいろな「行」ができるという仕組みって、キリスト教ではあまり見かけない。キリスト教の場合は、それよりむしろある日いきなり劇的な「回心」を経験して、一気に宗教的な高みに達する……という話の方が多いんじゃないですか。こつこつ「行」をして、一段ずつ登ってゆくというのじゃなくて。

欧米にはない「修行」の概念

山本　実は少年マンガというのは修養や修行に関する描写がたくさんあって、例えば『NARUTO』でも先生と一緒に食べるシーンがけっこうたくさん登場しますね。修行も絶対出てくる。ムスリムがなぜマンガが好きなのかというと、伝統的なスーフィズムの中で培われてきた概念や修行に近いものを感じるからだと言います。内田先生のお話を聞いて、日本文化とイスラーム文化を比べ直す必要があるなとあらためて思いましたね。

中田　私もずっと東洋の世界観とイスラームとの親和性を考えてきました。その懸け橋になるのが日本のアニメやマンガですね。

山本　はい。僕の教え子がある日、興味深いことを言ってくれました。「少年マンガの先生は完璧じゃないところがいい」と。『NARUTO』の自来也というキャラはふつうに考えれば変態じゃないですか。でも、少年マンガってそういう不完全で、フラジャイルな人に導かれて主人公が成長していく物語が多いんです。その師匠キャラは、大体が過去に大きな間違いを犯しているんです。そして、その過去を主人公に打ち明けたときにふたりの強い絆《きずな》が生まれる。少年マンガには、そういった師匠と弟子が互いに支え合って精神の完成に近づいていくというシーンがたくさんあります。

マンガ好きの教え子や若いムスリムたちは、ヨーロッパのコンテンツは、いわゆる「ポリコレ」的メッセージを強く感じるから嫌だと言います。でも日本のマンガは、ポリティカルなメッセージではなく、人間理解を深めようというメッセージを感じると言うんですね。メッセージとは要求ではなく、倫理とは何か、道徳とは何かという問いを与えてくれるところがいいんだそうです。

内田　なるほど。

中田　現代西洋のリベラルな知識人の考え方の基本はカントなんです。絶対的な自由が至高の価値であって、自立的・自律的な人間、それが理想。自分以外の何ものにも――他人にも伝統にも神にも――頼ることなく自分で判断するという。これは近代の考え方です。以前のヨーロッパでは、アリストテレスやプラトンなどの教えに則《のっと》って、道徳というものはアカデミアで何年も一緒に暮らして長い時間をかけて身に付けていく、身体化されたものであると考えられていました。キリスト教でも徳とは長年にわたる修道によって達成されると考えられていました。それが近代になって変わってしまったんですね。

内田　「修行」という概念は伝統的にはどうか分かりませんが、とりあえず現代のキリスト教世界にはないんじゃないかと思います。僕の知り合いに藤田一照《いっしょう》さんという曹洞宗《そうとうしゅう》の禅僧がいらっしゃるんですが、藤田さんはアメリカに長くいて、あちらで坐禅《ざぜん》の指導をされていた。その藤田さんとお話ししたときに、「行《ぎょう》」という言葉を英語ではどう言うんですかと聞いたことがあります。training じゃないし、exercise でもない。僕が「practice はどうでしょう?」と聞いたら、藤田さんに「それは違う」と言われました。practice には「本番の舞台に備えて準備する」という意味があるからです。「行」は何かの準備じゃない。「本番の舞台」に備えての「練習」ではない。「行」はそれ自体が目的であって、何か別の目的のために「行」をするわけではない。そう考えると、英語には「行」に相当する単語がないんです。

フランス語には「徒弟修業（apprentissage）」という言葉があります。師匠に就いて専門的な技芸を習得するプロセスを指しますから、「修行」にちょっと近いとも思うんですけれど、やはり違う。「修行中の人」のことをapprentiと言うんですけれども、あまりいい意味じゃないんです。「初心者」とか「新米」とか「へたくそ」という否定的な含意が強い。「魔法使いの弟子（apprenti soricier）」というのは「ろくにできもしない魔法を使ってすべてを台無しにするやつ」のことです。でも、日本で「修行者」とか「行者」という言葉にそういう否定的な含意はありませんよね。

「行」とは、目的地が分からないまま道を歩くということなんです。どこに向かっているのかを知らないし、全行程のどこまで来たのかも分からない。あとどれくらい修行すれば、どれくらいのレベルになれるのかも分からない。ただ、ひたすら「先達」や「先生」の後についてどこまでも歩いてゆくだけです。歩いてゆく道に迷いはないんです。先達がいますから。でも、先達がどこをめざしているのかは聞いても分からない。「そんなこと聞いて、どうするんだ。目的地を教えても、それは今のお前には理解できないものなんだから、教えても意味が分からないだろう」と答えられるだけです。足下の道ははっきり見えるんです。何をしなければならないかは分かる。でも、道の先は地平線で消えている。地平線までたどり着いても、その先はまた地平線のかなたに消えている。それでも歩き続ける。そのうち道半ばで息絶える。でも、悔いはない。「行」というのはそういうものです。何かのための「準備」じゃないんです。

藤田さんがアメリカで教えたときに、けっこう一生懸命坐禅《ざぜん》を組む人がいて、よく頑張っているなと思っていたら、そのお弟子さんが始めてしばらくして「あとどれくらい坐《すわ》れば『悟り』に達せるでしょう？」と聞いてきたんだそうです。どうも坐禅には「行程表」があると思っているらしい。何時間坐れば、どのレベルに達し、何年修行したら「大悟解脱」の境に達するのか、その「スケジュール」を教えて欲しいと真面目に聞かれたそうです。むろん、「そんなものはありません」と藤田さんは答えるしかなかった。

こういう考え方はキリスト教の世界では当然かもしれないと思います。キリスト教文化圏では、世界全体の構造は理論的にはあらかじめ与えられているからです。宇宙の頂点に創造主がいて、その下に天使がいて、人間がいて、動物がいて、植物がいて、鉱物や無生物がいる……という全体の「秩序（order）」がある。order には「秩序、命令、順序、階層」という意味があります。この一語にこれだけの意味がある。日本語話者は辞書を見てこれらの語義を暗記するしかありませんけれど、キリスト教的宇宙観が血肉化している人なら、これが全部「同じ意味」だということが直感的に分かる。創造主から無生物にいたる「秩序」があり、「命令」は上位者から下位者に示達され、この「順序」は乱してはならず、輪切りにされた「階層」には「同職者、同位者、同一の権限や勲位を持つもの」たちが一かたまりになっている。そういうイメージをありありと実感できれば、order という語が文脈によってどの意味で使われているかは分かる。

order という宇宙観が血肉化している人は、霊的向上のための努力をしていれば、自分の霊的位階が「今どのへん」ということは分かると思っている。霊的ステージを下位から上位に着実に上昇している自分をイメージできる。でも、「行」というのは、修行者たちに、そもそも自分の歩みを一望俯瞰《ふかん》できる「神の視点」に立つことそのものを許してくれません。自分の霊的ポジションについて一望俯瞰的に語るということができない。

漢語とアラビア語の精神的土壌

山本　「行《ぎょう》」と同じように「道《どう》」も英語ではどう伝えるかが難しいですよね。アラビア語には「タリーカ」という「道」に相当する言葉があります。剣道や花道、茶道みたいな修行の方法としての「道」の意味で使われていて、先ほど言ったメヴレヴィー教団もアラビア語では「メヴレヴィーのタリーカ」と言います。メヴレヴィー教団ではなくて、メヴレヴィー道と訳した方が実は日本人には意味がつかみやすいかも。

中田　アラビア語で「タリーカ」とは、文字通り「道《みち》」を意味するんです。「道《どう》」なんです。

さっきの「行」も、「スルーク」という言葉があって、これも字義は「歩んでいくこと」という「歩く」という動詞の動名詞形なんですね。まさに「行《ぎょう》」なんですよ。「行」も、「スルーク（行）」と言えばそれだけで通じるんです。「修行」の意味になりますし、「タリーカ（みち）」も、そのまま「道《どう》」になるので、師匠がいるというのも、そのまま通じます。中国語でもそう訳されています。「行」もあれば「道」もあるという、文字通り広い意味がそのまま伝わるんですね。

山本　中国で、イスラームの本が漢語で書かれていますが、その内容に、イスラームにとって礼拝とは何かという問いに対し、礼拝とは修道なりという答えがある。この「道」を修める「修道」をヨーロッパ言語にどう訳すかって、ほんとうに難しいじゃないですか。でも、日本人なら、漢語を読めなくても、「修道」というキーワードでなんとなく感覚で分かります。これって、日本人のアドバンテージだと思うんですよね。

イスラーム文明で培われていたアカデミックな古典漢語を、けっこう我々は理解できるし、日常的に使っていたりするんですよ。

『NARUTO』には、「修行」も「道」もセットで使われているので、アニメ日本語としては最強ですよ。「これが俺の忍道だ」とかよく言いますよね。まさに忍のタリーカです。

中田　そうそう、「修行」とか、「行」とか、よく出てきますからね。

山本　「先生」という言葉は、今、グローバル言語になっていますよね。
中田　そうなんだ。確かに「先生」という言葉がないよね、ヨーロッパ語にはね。
内田　ほんとですね。フランス人も僕を呼ぶときは「ウチダセンセイ」と言います。
中田　日本語で言うわけですね。
内田　「センセイ」にニュアンスが似ている単語がないんでしょうかね。そうでもないか、イタリア人は「マエストロ」と呼ぶこともありますから。
山本　トルコ語の「ホジャ」の完璧な翻訳語は「先生」なんですね。この言語感覚からも、我々には自身の文化圏の外からの何かを介することなく直接イスラーム世界と対話できる共通語彙がある。トルコでは学生は僕のことをSenseiと言いますね。
中田　Senseiと呼ぶわけね。それもホジャの感覚なんですね。
山本　はい。ただし、一度Senseiと呼んでみたかったというオタクも大量にいる（笑）。日本人がいるからSenseiという言葉を使ってみようと。
中田　そうか、そうか、Senseiと言って、それで感激するわけですね。
山本　「センパイ」という言葉もすごく使いたいらしいですね。先輩、後輩というマンガの中の関係に憧れて。

中田　そうか。先輩、後輩もないんだね。そのレベルでアニメ日本語というのを共通言語にしていくのはすごく意味のあることです。

内田　「リンガフランカ（普遍言語）としてのアニメ日本語」ですね。

山本　先ほどお話に出た武道や礼拝の「型」も、マンガやアニメだと伝わりやすいんですよ。「礼拝には森羅万象のフォームがすべて宿っている」と西アフリカのスーフィーが言っています。屈伸しているときは「馬のフォーム」、土下座しているときは「大地のフォーム」、突っ立っているときには「木のフォーム」だと。それを人間がすべて統合する。だから礼拝には、「天地人すべてが備わっている」と言うんです。

中田　『鬼滅の刃』の「型」みたいなイメージ。

山本　そう！　やっぱりあれは「型」なんです。「型」と言ったらすぐ分かるじゃないですか。

中田　そうやって日本語をイスラーム世界で教えていくと、彼らにとってもプラスになると思います。ヨーロッパ目線ではない、自分たちの伝統文化の誇りを取り戻せるという側面もありますからね。

内田　武道の「型」って説明が難しいんです。どういう身体部位を強化するためのものか、どういう身体能力を高めるためのものかということについて機能的な説明ができないんです。とにかく「型」があるから、それをそのまま行う。「型」の稽古をずっと続けているうちに、それまで感知したことのなかった身体部位を感知したり、それまでそんな動きがあることさえ知らなかった動きをしている自分を発見したりする……という仕方で、事後的・回顧的に「型」の意味が分かってくる。そして、「なるほど、この『型』にはそういう意味があったのか！分かった！」と喜んで、弟子や後輩にもそう教えて、しばらくして、その解釈が全然違っていたことに気づいて赤面する……ということを繰り返す。「型」というのは、そういう意味ではある種の「永遠の謎」なんだと思います。その「謎」を解こうとする努力そのものが修行者を成長させるわけで、「正解」にたどり着くということは永遠にない。

マンガでイスラームを「味わう」

山本　イスラームの文明が分かる語彙を持っている日本人と、日本のことを一番理解しあえるのは実はムスリムかもしれないという検証がけっこうできた気がします。その意味では、ムスリムが我々のベストフレンドになってくれるポテンシャルは十分あります。ナキーブ・アッタースというマレーシアの知識人が、現在のムスリムについて、言語の世俗化による意味論的混乱状態にあると言っています。

それは、今のムスリムたちは、クルアーンや聖典に書かれている語彙をどう理解し、どう実践するのかを考える言語的土台が西洋化、近代化によって失われてしまったという意味だそうです。自分の伝統をどう表現するのか、その術をなくしてしまったと。

でも、日本の少年マンガはイスラーム文明、特にスーフィズムが大事にしてきた師匠と弟子、教えや「型」の伝承、不完全な人間が精神的完成をめざすプロセスなど、伝統的な「ビルドゥングスロマン（教養小説）」の構造を保っている。つまり、マンガを読んでいる日本人は、実は中東に関するニュースを追うよりもずっとイスラーム世界を「味わう」ための語彙や世界観を持っているのかもしれない。僕はすごくそう思います。

中田　この本の版元について言及するのもなんですが、その先陣を担うのが集英社なんですね。料理の紹介や料理人のマンガなど、人気作品は、ほかの出版社にもいっぱいありますが、今まで話してきた、若者に希望を与えるとか、生きる道を示すとか、そういう作品は圧倒的に集英社ですね。別にお世辞を言うわけじゃなくて。

山本　集英社はマンガ文化のカノン（正典）を出版しているようなものです。「スーフィズム入門という企画を日本の出版社のために日本語で書いています」と言うと、みんなピンときませんが、『NARUTO』の出版社ですと言うと、「うそだろ！　すごい！」という反応になる。

んですよね。これはすごいポテンシャルなんです。少年マンガの会話を抜き出して日本文化を語る教科書があればむちゃくちゃ売れると思います。

内田 集英社がイスラーム世界において「マンガ文化のカノン」の版元だと思われているというのは初めて聞きました。確かにそういう理解って、欧米の言説を経由してイスラーム世界を理解しようとしている限り、決して出てこないですね。いい話を伺いました。

欧米的なまなざしを経由すると、イスラーム世界は「中近東」ですが、これはヨーロッパから見て、「近い」か「もうちょっと遠い」かという地理的な隔たりしか意味していません。ヨーロッパから遠くなるほど、そこに住む人たちも、その文化も自分たちと異質で疎遠なものになってゆくというヨーロッパ版の「中華思想」が前提にされている。だから、日本はヨーロッパからは「極東」、ヨーロッパからもっとも遠い世界だということになります。

駐留軍人たちのために流すFEN（Far East Network）というラジオ放送がありました。米軍が日本のこの放送局名が中学生のときから納得がいかなかったんです。だって、アメリカから見たら日本は太平洋の西のかなたにある国じゃないですか。でも、ラジオ局の名前は「極西放送」じゃなくて、「極東放送」なんです。アメリカから大西洋に向けて発信された電波がユーラシア大陸を経由して、地球を四分の三周して日本に配信されているというかなり無理のあるイメージを受け入れないとアメリカにとって日本は「極東」にはならない。だから、アメリカ人の脳内でFar Eastという単語がどういうイメージなのか、僕にはうまく想像できなかった。

でも、僕たちはそのような欧米固有のコスモロジーにこちらから進んで身を添わせる義理はないと思うんです。僕たちからすれば中国やモンゴルは「近西」であり、トルコは「中西」にあたる。だとすれば、そういう枠組みで、僕たちから見た「中近西」というものを構想してもいいんじゃないか。そんな気がしました。新しいコスモロジーの可能性を示唆してくださったことについて、おふたりに感謝します。まだまだこの先、お話は続くと思いますが、今日は面白い話を堪能させていただきました。

第四章

多極化する世界で イスラームを見つめ直す

「ああ、メヴラーナ様よ」。13世紀のスーフィー詩人、メヴラーナ・ジャラールッディーン・ルーミーを讃える扁額と霊廟（トルコ、コンヤのメヴラーナ博物館）。

写真＝アフロ

アラビア語を話せると対応が変わる

山本　ぜひ内田先生にこのバクラヴァを食べていただきたくて持参いたしました。

内田　へえ、これはトルコのお菓子なんですか？

山本　そうです。バクラヴァは、トルコで有名な伝統菓子です。中近東や中央アジアでも人気で、薄いパイ生地の間に砕いたピスタチオやクルミを挟んで焼いて、甘いシロップをかけたお菓子です。食べるとき、ちょっと手がべたべたになりますけど、おいしいですよ。

内田　ありがとうございます。トルコのお菓子ってひたすら甘いですよね。

中田　トルコの有名なお店の？

山本　実はトルコで一番有名な店は、けっこうぼったくり価格だったので、そこは嫌だなと思って探していたら、ちょうどその隣の隣ぐらいにこのバクラヴァ屋さんがありまして、これはガジアンテップ（トルコ共和国、南東部の都市）のバクラヴァなんですよ。

中田　ガジアンテップは、本章の話題になるクルド地区ですね。

山本　クルド地区ではないですが、ガジアンテップはシリアに近い国境沿いにある街で、クルド人も多く住んでいる街ですね（編集部注：二〇二三年二月六日に起きたトルコ・シリア大地震でこの地域は甚大な被害にみまわれた）。去年辺りから、バクラヴァは日本でもちょっとしたブームなんです。

中田　トルコの有名店が銀座のデパートに出店して、かなり話題になっていましたね。

山本　そうなんです。銀座のお店は多分マーケティングにいいアドバイザーを雇っていますね。トルコだと一〇個単位で売っていたりするけど、日本人だったら一〇個もあんな甘いの食べきれないじゃないですか。だから、甘さを控えめにして、日本人が食べられるキャパシティを計算し、一個ずつおしゃれに包装して、少ない単位でも買えるようにしたのがいいですね。

中田　なるほど。

山本　ガジアンテップのバクラヴァはお菓子もおいしいんですが、働いている人がまた面白いんです。ガジアンテップで育ったトルコ人で、アラビア語が話せて、エジプトのアズハル大学を出ている。アズハル大学ってアラブでは、イスラーム学を修められる一番権威がある大学で、彼の専攻はイスラーム宗教基礎学科。よく買いに来る日本人の僕を珍しがって、「お前は神道を信じているのか。仏教を信じているか」と聞いてきたので、「私もエジプトでアラビア語を少し勉強して、アズハル大学も見学に行った」と言うと、「ええっ」とすごく驚いた顔して（笑）。「じゃ、アラビア語をしゃべれるんだね」と、うれしそうにアラビア語で話しかけてきた。

第二章でも言いましたが、アラブには口語アラビア語と正則アラビア語（フスハー）という二種類の言語があって、口語アラビア語は方言みたいな感じですが、正則アラビア語は聖典のクルアーンの言葉です。フスハーは、アラブではリンガフランカ（普遍言語）として使われる聖典言語なので、それで会話をした途端に僕の信頼度が爆上がりしたみたいです（笑）。バクラヴァを買うときも三割くらい割引してくれて、かつ僕にも二個サービスでくれて、お茶も四杯お代わりさせてくれました。フスハーを覚えるとこんなに待遇がよくなる。それだけでも日本の若者に伝えたいぐらいです。正則アラビア語で話しかけられたときに返せると、バクラヴァを二個ぐらいタダでくれるぞと（笑）。

「古典の殴り合い」で信頼を得る

山本　世俗派のトルコ人についてはよく分かりませんが、宗教熱心なトルコの人って勉強熱心なので、市井の人の中にふつうにすごい人がいたりするんです。先にも話しましたが、シリア国境沿いで生きているバクラヴァ店のおじさんも、エジプトの有名大学を出て、アラビア語が話せて、かつ神学や古典にも詳しい。僕もこの古典を知っていますよと言うと、たちまち話が弾みます。古典を勉強しておくと、ムスリムたちへの一つの名刺代わりになる。

中田　自分たちの文化を理解してくれる外国人がいるのはうれしいからね。

山本　はい。特にイスラーム世界では、古典と聖典言語は教養として知っておくと、ほんとうにコミュニケーションが取りやすいなと思う。

中田　何かをお店で買ったり、タクシーに乗ったり、イスラーム世界のどこにでも、そういう人たちがふつうにいる。それが面白いんですね。私は今、国際法の本をまとめようと思っているんですが、国際法といっても、世界の国際法学者と言われる人たちは知っていますが、それ以外の人は知りません。ところが、イスラーム世界では国際法は法学の一部なので、中学校ぐらいから習うわけです。特にアフガニスタンのタリバンは、子どものときからずっと勉強してきている。そういう人たちが、少なくとも数千万人ぐらいはいる。その辺の基礎が全然違うということが、みなさんにはなかなか伝わらない。日本で言えば、明治より前の四書五経などをみんなが読んでいて、それが今もずっと続いているという感じでしょうか。みんなが古典に親しんでいる。それがイスラーム世界の特徴と言えます。

内田　日本の場合でも、大正ぐらいまでは日本列島、朝鮮半島、中国大陸の知識人同士は、筆談でおおよそ用が足りたと言いますね。あの頃、たくさんの人たちが中国や朝鮮半島に行っています。内田良平も宮崎滔天《とうてん》も北一輝《きたいっき》も現地に行って、そこで革命運動にコミットしていますけれど、あの人たちは多分オーラルコミュニケーションではなく、筆談でのコミュニケーションをしていたんだと思います。中国の政治家や革命家たちもみんな知識人ですから、矢立から細筆を取り出して、巻紙にさらさらっと漢文を書いたらきちんと意思疎通ができる。当時の東アジアでは漢文がリンガフランカとして存在した。

それができたのは、日本でも朝鮮でも中国でも、子どもたちは小さい頃から四書五経を素読のところから始めて、漢文の読み書きの基礎を叩《たた》き込まれていたからです。今の日本の知識人には、残念ながらそういうリンガフランカがない。英語がそうだと言う人がいるかもしれませんけれど、小さい頃から『論語』や『史記』を読んで骨身に染みついた漢文とは深さが違う。日本の子どもたちは明治、大正までは漢籍で自分の倫理や美意識を形成したわけですから、「述べてつくらず」とか「人生意気に感ず」とかいうフレーズは輸入品じゃなくて、それを素材にして自分の知性と感性が形づくられている。だから、漢文の筆談でも革命ができるんだと思います。

中田　それがあるのがイスラーム世界の特徴なのです。そこが分からないと、どこに行っても通じているというイスラーム世界の普遍性が分からない。漢文の基礎教養など、今の日本には残っていないものなので感覚で伝えにくいんですよね。

山本　実際トルコでも日本人にはイスラームは分からないと思われていますからね。同志社大学の後輩の子が、新しく学部生でトルコに留学することになったときもそうでした。いろいろつてを頼って最終的にムスリムが暮らしている学生寮になんとか入れる見通しがついた。すると、そこの校長から面接したいから来いと言われた。大体そういうときって、学部の子だけが行くと、なめられて門前払いになりがちなので、信頼できる後ろ盾が必要なんです。それで、僕が付き添って、一緒に面接を受けたんです。

日本人ムスリムは非常にマイノリティで、かつイスラームの歴史の知識はないと思われているので、最初はいい感じの対応をされないんです。その校長も「日本人はほんとうにイスラームが分かるのか」「この子はムスリムだと言ったが、はたして日本人はイスラームのことをどれだけ知っているのか」と、こちらを試すような質問をしてきた。

そのとき、ふとその校長の机に置いてある本が目に入ったんです。それはイスラーム神学の古典の一つでした。

イスラームを理解することがいかに難しいか。最後はそのことについて書かれているんです。答えはすぐ見つかるものではない、と言って疑いをとどめておくと、疑念がどんどん生じていって信仰が失われてしまう。そのときには正しい先生を探して教えを請いなさいと締めくくられている。その最後の一節をふと思い出したので、校長の問いへの答えとして「だったらあなたが先生としてその子に教えればいいだけじゃないの？　机にあるその本を読んでおけば、そんな無駄な質問はしないんじゃないの？　そもそもなんで原文のアラビア語じゃなくてトルコ語訳で読んでいるの？」と申し上げた。すると、急に校長の態度が変わって、すんなり学生寮入居の交渉に入れたのです。まあ、あんまり気持ちいいコミュニケーションとは言えませんけど、あちらでよそものが生き延びていくためには、そういう古典の殴り合いがあるんですよ。

内田　古典の殴り合い（笑）。

山本　イスラームの世界では、単にムスリムであるとか、イスラームを勉強していますではダメなんです。そこでうまく相手を「殴れる」かどうか、つまり彼らが読んでいるような古典を読んでいるかどうかという、教養のマウンティングをかます必要がある。それによって全然待遇が変わってくるし、からかわれたり馬鹿にされたりもなくなる。この人はちゃんと古典を勉強している外国人なんだと相手に思い知らせること。イスラーム世界ではそれが相手の信頼を得る一番の方法なんですね。

そういう形で人の信頼を得たり、ネットワークを広げたりすることって、日本にはあまり残っていないですよね。孔子の言葉を諳《そら》んじることができたからこいつはきっと信頼できるに違いない、暗唱する言葉に力がある、シンプルな言葉の中に聖人たちが体現している何かを感じるとか、そういうことがイスラームでは互いを認め合う指標となっている。

中田　古典の殴り合いで思い出しましたが、昔、学生たちがやたらマルクス主義を信奉していた時代に、マルクス本の何を読破しているかで、競い合うようなことがけっこうありましたね。それによってどっちが上か、マウントを取り合うような。

内田　あ、そうですね。確かに「マルクスの殴り合い」というのはありましたね（笑）。

中田　そうそうそう。

やせ細りつつある日本の文化

内田　かつては漢籍とか仏典を用いての「殴り合い」が日本にもありました。難解な本を読んだり、諳んじることで相手を知的に圧倒するのって、日本では多分一九七〇年代のマルクスが最後じゃないですか。七〇年代の終わりぐらいに教養主義が解体して、全員が読むべきカノンなど存在しない。みんな好きなものを勝手にやっていいんだという風潮になってきました。「気分がよくて何が悪い」というフレーズには確かに教養主義を一蹴するだけの破壊力がありました。その時点では、僕もそうでした。もう一般的な教養のようなものはいらない。これからはみんなが自分にとっての興味あることを追求していって、そこで得た知見をパブリックドメインで共有すれば、僕たちが享受できる知識や情報は大きな広がりと深みを持つことになるんじゃないか……という楽観論に立っていました。だから僕も「カノンを守れ」というようなことはまったく考えなかった。

でも、そういうことを半世紀近くやってみた結果、知的パブリックドメインは豊かになるどころか見る影もなくやせ細ってしまった。「知のコモン（共有地）」というものがなくなってしまった。みんなが「オレ的に面白ければそれでいい。誰とも共有する気なんかない」という排他的な態度になってしまった。その結果、マニア同士の内輪でしか通用しない、謎めいた「ジャルゴン（意味不明な言葉）」だけを使ってしか話せないという人間ばかりになってしまった。SNSが顕著ですけれども、「門外漢」には何を言っているのかまったく分からないマニアックな語法で話せることを誇る風潮がある。

だから、「伝統を守れ」というようなことを誰も言わなくなったでしょう。「学統を守る」「道統を守る」というのは、文化の継承のために不可欠のことなんですけれども、そういうことに何の価値も見出さない人たちが今の日本ではもう過半を占めている。

僕が稽古している能楽の世界もそういう意味では危機的状況なんです。何よりも「見巧者《みごうしゃ》」

というか、「芸が分かる人」がいなくなりつつある。僕は観世《かんぜ》流の能楽をもう四半世紀稽古していますけれども、それは「旦那芸」なんです。古典芸能の継承には「旦那」という存在が不可欠なんです。旦那というのは、芸は下手なんだけれど、一生懸命お稽古をして、着物をつくり、能の公演のチケットを買い、「どうですか、たまにはお能でも観に行ったらいかがでしょうか」と誘って、芸能の享受者の範囲を広げる役目をする人です。自分自身の芸は素人に毛が生えたくらいなんですけれども、玄人の芸がどれぐらいのものか、その芸を習得するためにどれほどの錬磨をしたのかを考えると震えるぐらいの鑑識眼は持っている。この旦那衆の層が厚ければ、芸の裾野が広がる。当然、裾野が広がれば高みも広がる。でも、その旦那衆の層が壊滅的なんです。玄人の数はそこそこいるんですけれど、玄人を支えて、玄人と素人の「仲をとりもつ」旦那衆の層が解体している。

　日本の場合はどの分野においてもそうです。さっきのお話にあったトルコのお菓子屋のおじさんのように、ある程度古典を齧《かじ》ったことがあるので、相手の力量が分かるという人間がふつうにそこら辺にいるということがなくなってしまったんですね。

山本　日本ではお菓子屋のおじさんと古典談義をするなんてまずないかもしれませんね。

内田　そうなんです。それが文化にとっては致命的だと思う。僕はフランスの文学と哲学を勉強してきたんですけれど、学部で仏文を出たけれども、その後、さまざまな分野にばらけていった人たちがそれぞれの分野で活動しながらも、「仏文の旦那衆」になってくれたらいいなとずっと考えていました。大学院まで行って大学の先生になる人もいるだろうし、院を出たけれど、その後、出版社に行ったり、中学高校の先生になったり、ふつうのサラリーマンになったりした人たちも含めて、一種の「同業者集団」と考えたらどうかと思っていました。その集団の中には世界的なレベルの研究者もいるし、個人的な趣味でこつこつとフランス文学を愛読している人もいる。その全員で「研究者集団」というものを形成して、この人たちが素人たちに「フランス文学って面白いよ」というメッセージを伝えてくれたらフランス文学の裾野が広がって、中学生高校生の中から「ぜひ仏文科に入って、勉強したい」という子たちが続々と出てくるかもしれない。そうなったらいいなと思っていたんです。でも、そうならなかった。

ご存じの通り、日本の学界では、大学のテニュア（終身在職権）を取った人以外は「研究者集団」のフルメンバーとしては認知されないんです。だから、個人的に「フランス文学が好き」という人たちにはフランス文学について学的に語る資格を認めない。「玄人以外は全部素人」というデジタルな切り分けをしてしまった。「半玄人」の居場所がないんです。

院生の頃に、この「切り分け」を嫌というほど見ました。フランスに留学して、博士号を取ってきて、大学の専任教員になれた人だけが「仏文学者」を名乗る権利がある。大学院を出ても、大学の教員にならなかった人たちは「素人」と同じ扱いなんです。学会発表のための支援もないし、論文を書く機会も提供されないし、専門書を書いても出してくれる出版社がない。一度生き残り競争から脱落した人間にはもう仏文学について語る資格がないような扱いを受けるんです。

この純血主義みたいなやり方って、僕は間違っていると思うんです。さっきのお話にあったお菓子屋のおじさんのように、一度でもその学問に関わった人ならば、もうその学問の世界の「インサイダー」として認知するべきなんです。みなさん、一度は研究に身を捧げた人なんですから、専門家たちの方から、そういう方たちに「ぜひ死ぬまでずっと身内として活動してください」って頼む方が事の筋目だと思います。学問の裾野を広げることをほんとうに大切に思っていたら、お菓子を売りながらお客相手に古典教養について語ってくれる人たちには「ありがとう」と感謝すべきだと思うんです。でも、そういうふうにして学ぶ人を勇気づけるマインドって、日本の大学にはないんです。

これは、同時多発的にさまざまな分野で今、起きていることです。芸の世界を支える旦那衆がいなくなってやせ細ってゆくのも、学問の世界で、最終的に大学のテニュアポストを取った人間以外は研究者として認知しないという厳密主義も、結果的には日本文化の厚みを損なっていると思うんです。中田先生はどう思われます?

中田　イスラームの場合、ちゃんと学問をやっていた人がどの分野にもいるし、それが当たり前なので、あんまり意識したことがないんですが、日本の伝統芸能の世界でも支える層がいなくなってやせ細りつつあるというのは、ちょっと問題ですね。山本君は、確かお茶をやっていたよね。あれも段階があるんでしょう?

山本　はい、そうですね。

中田　家元制度みたいなものも、今、やせ細っているわけなんですか。

内田　やせ細っています。どの分野でも家元制度が一種の「集金装置」になっている点は否めませんから。

山本　家元制度を持つどの芸術も同じ問題を抱えているかもしれませんね。

内田　集めたお金が、その芸能にとって生産的な形で現場に還流されるならいいんですけれども、なかなかそうなっていない。

晩ご飯のついでにイスラーム学を学ぶ

山本　イスラーム学の方はむしろ先生がお金払って呼びます。「ご飯をつくっているから来たら?」と、みんなを集めて、晩ご飯のついでに古典を教えるというのもよくある。

内田　あー、それ楽しそうだな。僕はそっちの方が好きかも。

山本　僕も古典を教えてもらうのに、お金を取られたことは一度もないと思います。

内田　いいなあ。そういう環境なら、学問がやせ細ることはないですよね。

山本　そうですね。勉強したいと思うと、初心者であっても、お金をかけずにものすごくレベルの高い人の授業にも参加できるんです。イスタンブールには、オスマン帝国時代のマドラサ（イスラーム宗教教育の専門機関。学院・教育施設）のカリキュラムを研究する教育施設があって、その授業に僕もよく参加するんですが、そこに今九〇歳ぐらいの大イスラーム学者が来て講義をしてくれるんです。その人の師範代みたいな人もいて、授業を受けたことがあります。

中田先生はイジャーザ（イスラーム学の古典の読了免状）をいくつも持っているので全然違いますが、日本人ムスリムとしてイスラーム学を勉強しているといっても、僕なんかは素人の素人なわけです。でも、僕のような素人でも、本物がすごいというのはなんとなく分かるんですよ。その授業には僕は聴講生として参加しているだけなのですが、イスラーム文化には、最初から最後まで教えを受けなくても、二〇分でも三〇分でも教えの恵みを受けると、身の一部になるという考え方があるんです。イスラームにおける「バラカ」は、神から与えられる恩寵《おんちょう》という意味ですが、まさにその恵みがある。その大イスラーム学者が持っている知の香りを身に染みつかせて帰ると、それが消えずにずっと残っている。その感覚を体験して、あらためて、ああこの世界にはそういうすごい人がいるんだな、それを忘れずに生きようという気になる。日本語で言うと薫陶に近いのかもしれませんが、もっと深い知の学びが心の中に残る気がしますね。

この感覚を最初に教えてもらったのは、ムスリムになる前、エジプトのカイロでのアラビア語留学に中田先生についてきてもらったときです。

中田 あのとき、何かありましたか。

山本 ええ、僕にとっては大きなカルチャーショックがありました。街中をぶらぶらとふたりで歩いていたときに、路地裏のぼろ長屋みたいなところでエジプト人の学者が初級アラビア語を教えていましたよね。生徒たちはマレーシア人で、多分一四、五歳ぐらいの子どもたちでした。僕たちがその前を通りかかったとき、中田先生もこういうムスリムの格好で歩いているので、そのエジプト人の学者が、ちょっと授業に参加しませんかと声をかけてきたんです。そのときはご飯を食べに行く途中だったのか、中田先生は「後で行きます」とご挨拶して、通り過ぎたんです。

中田　ああ、そういえば、またそこに戻った気がします。

山本　そうです。僕はアラビア語が分からなかったので、そのときどういう会話をしているか分からなかったんですが、昼ご飯を食べた後、中田先生が、「あ、誘われたから行かなきゃ」と言って、そのぼろ長屋に戻っていかれた。僕もついていったのですが、先生は長屋での学者の講義を黙って聴き始めて。僕は、先生と一緒に座っていても、アラビア語がまだ不得意だったので何を言っているかさっぱり分かりませんでしたが、中田先生は二〇分ぐらい座ってから、立ち上がって、その先生に「ありがとうございました」と握手して、その長屋を後にしました。

そのときに中田先生が、こう僕に教えてくれたんです。「あのように学者から誘われたときは、二〇分でも三〇分でもそこに座ってちょっとでも聞いて帰るというのがイスラームの世界の作法なんですよ」と。だから、忘れずに、誘われたら絶対断ってはいけない、二〇分か三〇分座って講義を聴くようにと厳しく言われて、それ以来僕もその作法を実践するようになりました。

初級アラビアの授業と言っても、参加したら分かりますが、難度が高いんです。哲学の授業でも論理学の授業でも、ほんとうに意味が分からない授業が今でもあります。それでも、トルコでもインドネシアでもマレーシアでもエジプトでも、異邦人が来ると、その人がほんとうに分かるかどうかは別にして、「ちょっと勉強しに来たら？」と、みんな言いますよね。さっきアカデミアの話で内田先生が言っていたような、お前に学ぶ資格はないとか、お前に語る資格はないと排除するようなことは、伝統イスラーム学の文化としてはあまり言わないと思います。

中田　そういう偉い人を見ること自体が勉強であるということは、日本の古典にもあった気がします。何も分からなくても、ただ見ているだけ、聴いているだけでそれで大きな学びがあるというのはよく言われますので。

内田　いいですね。二〇分でも三〇分でもいいからとにかく学者の「謦咳《けいがい》に接する」「薫陶を受ける」というのは。そういう経験って、知的なものというよりはむしろ身体的なものなんですよね。仮に、教えられている内容について十分な知識がなくても、目の前に大学者がいて、そこから発されるものに触れるだけで、スケールの大きさとか叡智《えいち》の深さは分かります。世の中には卓越した知性が存在するということを肌で感じることだけでも、深い学びになります。

潜在的にある宗教的感受性

内田　日本で言う「得度」みたいなことになるのかと思いますが、誰の立ち合いでムスリムになったかというのは、かなり重要なことなんですか。

山本　そうですね。僕がムスリムになったときに立ち合ってくれた学者は、アリー・ジュムアという方なんですが、エジプトだけでなく、世界的にも、イスラーム学のトップレベルの権威だと言われている方です。今は政治的な立ち場から批判も受けていますが。暗記力がほんとうにすごくて、ある日本の学生がアリー・ジュムアに質問したときに、それは何年出版のこの本の何ページの何行目に書いてあるとズバッと指摘したといいます。本でも映像でも、一度見たら忘れない人らしい。ビジュアルとして、頭の中に膨大な本棚がある。

内田　カメラアイですね。

山本　はい。そうだと思います。

中田　エマニュエル・レヴィナス先生の師匠もそういう方だったと、何かで読んだ気がします。

内田　そうです。レヴィナス先生のタルムード（ユダヤ教の宗教的典範）の師は、モルデカイ・シュシャーニという放浪の学者だったんですけれども、タルムードの読解をふたりで差し向かいでやっているとき、レヴィナス先生がつっかえながらタルムードの解釈をしていると、「ちょっと待って。今、一行飛ばしただろう」と（笑）。

中田　イスラーム世界にはそういう人がいっぱいいます。

内田　おのれの掌《たなごころ》を指すように万巻の書を諳んじているという人は、宗教の世界にはほんとうにいるんですよね。聖典の本文だけでなく、どのラビがどんな解釈をしていて、それはどこのページに書いてあるということまで頭に入っている。どういう記憶の構造になっているんでしょうね（笑）。

中田　ほんとうにそうで、驚きます。

内田　面白いのは、僕もそういうことが偶然にあったりするんです。まだ若い頃に、大学の廊下で英文科の先生とすれ違ったとき、「ちょっとすいません、内田先生。英文の論文を読んでいたら、レヴィナスからの引用があったんですが、出典が書いてないんです。英語だとこういう感じの文章なんですが、この引用、どの本からか分かります？」と聞かれたことがあるんです。なんと、その部分は、偶然前の晩に読んでいたところだったんです。それで、「お読みになった引用の原文はこれこれの本の何ページくらいのところにあります」と即答したら「おお」と驚嘆されました。レヴィナスの全著作を諳んじている人だと思ってくれたみたいです。せっかくだから誤解を解かずに、「ほほほ」と笑って立ち去ったんですけれど（笑）。

だから、これって両方あると思うんですよ。膨大なとんでもない記憶力を持っている学者もいるし、なんとなくある本をぱらっと開いてちょっと読んでみたら、翌日それについて聞かれたということもある。そういうことって、あるでしょ。ちょっと時間をフライングして、自分のところに知識を求めてやってくる人がいたときに、それに対して提供できる知識を事前に仕込んでおく。そういう能力は誰にでも潜在的には備わっているんじゃないかと思うんです。僕の場合には、それがよくあるんです。なんとなくある本を書棚から取り出してぱらぱら読んで、また書棚に戻しておいたら、翌日その本について聞かれたというようなことが。

あまり言う人はいませんが、ちょっと時間をフライングして、自分が必要とされる場に行ったときに、そこで必要とされる行為ができるようにあらかじめ準備しておくというのは人として生きる上でとても役に立つ能力だと思うんです。まして武道の場合でしたら、「いるべきときに、いるべきところにいて、なすべきことをなす」というのが要諦ですから、それがいつで、どこで、何が「なすべきこと」なのかが事前に分かるという能力がありうるとしたら、それこそきわめて武道的な才能じゃないですか。だとしたら、どうやったらそういう能力は涵養《かんよう》できるかを考えて当然です。そういうのも武道の修行の一部じゃないかと僕は思っているんです。

山本　それは、これから来る人の動きを予測するということですか。

内田　動きを予測するというより、誰かからの「救難信号」を聴き取るという感じです。人間が発信するメッセージで一番強いのは「助けてください」という救援のメッセージですから。

それはかなり距離的に遠くても聴き取ることができる。例えば、子育て中のお母さんだと、離れた部屋にいる赤ちゃんがちょっと苦しげな声を出しただけでも、ほかの人には聴こえないその声を聴き取って駆けつけるということがありますでしょう。これは僕も父子家庭で子どもを育てているときに何度か実感したことがあります。

「助けて」というシグナルは空間的にかなり遠くからでも聴き取れる。だとしたら、時間的に遠くても聴き取れるということはあるんじゃないか。だって、他者からの「助けて」という支援を求める声が聴こえたときに、それから支度をしたのでは間に合わないということだってあるでしょう。それだったら、なんとなく「明日辺り、これが必要になるんじゃないかな……」という直感に導かれて支度をしていた方がいい。実際に、助けを求める人が現れて、「何々が欲しいんです」と言われたときに、「あ、これですか?」と手元から取り出すということが実際にある。「あれ、なんでオレ、こんなもの持ってきたんだろう?」と考えてもよく分からない。

レヴィ＝ストロースは『悲しき熱帯』(川田順造訳、中央公論社、一九七七年)で、マト・グロッソ(ブラジル中西部の州)のインディオにはそういう能力があるということを書いていますね。彼らは小さい集団で狩猟しながら移動するので、持ち歩ける家財が限られている。だから、ジャングルの中で何かみつけたときに、それが何の役に立つか分からないものでも、「そのうち何かの役に立つかもしれない（Ça peut toujours servir）」と思って、背中の合切袋に放り込む。そういう先駆的な直感が備わっていないと、資源に乏しいジャングルの中で生き延びることが難しい。でも、そういう能力は僕たち誰にでも潜在的には備わっているんじゃないかと思うんです。

山本　イスラームで言う「フィラーサ」みたいなものですか。

内田　それは何でしょう。

中田　フィラーサというのは、霊感のようなものですね。イスラームの教えの中にも、信仰が深い者の心眼は畏敬せよ、神の光を見ている方だという言葉があります。確かに宗教的にはそうであっても、私自身はそのようなことは全然経験したことがないです（笑）。

内田　いや、あると思うんですよ。見ず知らずの人から急に「ちょっとすいません。ちょっとそこのドア押さえてください」とか「そこの紙のはじっこ押さえておいてください」とか声をかけられて、「あ、いいですよ」と手を貸すことって、わりとよくありますでしょ？　そのときに差し出した「助け舟」がきっかけになって、それから思いがけない出来事が起きる……って、けっこうあるような気がするんです。

学園マンガだと大体そうなんですよ。キャンパスをふらふらしていると、急に見知らぬ人から「悪いけど、ちょっと手伝って」といきなり頼まれて、勢いにおされて「あ、はい」と手伝うというところから始まるのが多いんです。そこから「どうもありがとう。あ、肉まんあるけど、食べる？」みたいな展開になって、そこから大波乱の物語が……という話が多いんです。「ちょっと手を貸して」という場にピンポイントで居合わせることから物語が始まる。なぜ主人公が引き寄せられるようにそこに居合わせたのか、それはマンガは説明してくれませんけれども、誰か「助けを求めている人」がいると、そこへ吸い寄せられるように行くということってあると思うんです。

中田　言われてみるとそういうことっていっぱいあるのかもしれません。今、神学の本を書いていて、時間について考えをめぐらせることがよくあります。イスラームの神の視点から見ると、今も昔もすべて現存しているので、時間ってないんです。我々人間は基本的には未来は見えないわけですが、ほんとうは見えるんじゃないかと私は考えています。

我々は一応、三次元の世界に住んでいて、二次元にいる人間から見ると、三次元の人間はずいぶんいろいろなものが見えているように感じると思うんです。平面にいる二次元の人間は前しか見えないわけで、上も下も見えないですからね。でも実際は、三次元の人間も目は前にしかついていませんので、ほとんど前しか見えない。

それと同じように時間を考えてみると、この世界において目が前しか見えてないのと同じように、我々の時間は過去の時間しか見えないわけですね。過ぎ去った過去は見えるけど、まだ始まらない未来は見えないと。でもほんとうにそうだろうか。見えなくしている障害をなくせば、後ろ（過去）を見れば見えるように、未来も見えるんじゃないか。それは視野を広げる修行をすることで可能になるんじゃないかと考えておりまして。

孔子の「述べて作らず」のマインド

内田　未来も実は先駆的な仕方で見えるんじゃないかということは、僕がずっと時間論を考える中で思っていたことなんです。少し前に『レヴィナスの時間論——『時間と他者』を読む』（新教出版社、二〇二二年）という本を書き上げたんですが、この本のベースになっているのは僕自身の武道修行の実感なんです。ある程度稽古を積んでくると、時間というのは、そんなに大幅には無理ですが、ごくわずかなら、ちょっとだけ前に行ったり、ちょっとだけ戻ったりということができる。

武道では「残心」という心得がありますね。心を残す。稽古のときに、技をかけて、相手を投げた後にも、受けの人が受け身を取って、畳を打つ音がするまで技をやめてはいけないと先生からは教えられました。でも、それって考えたら不合理なんですよね。もう技をかけ終わって、相手は空中に飛んでいるわけなんですから、もうやることは終わっているんです。そのまま去ってもいいのに、畳を打つ音がするまでは技をやめてはいけないと教えられた。なぜなのか。そんなふうに「見栄を切って」も仕方がないのにと初心の頃は思っていました。でも、長く稽古してきたら、それはどうも違うということが分かってきました。相手が僕の身体から離れても、技は継続しているんですよ。継続しているということは修正可能なんです。相手が自分の手から離れた後も、自分の身体の正中線を少し変えたりとか、目付を変えたりすると、ほんのわずかなんですが、相手の身体が動く。いや、相手の身体が動くというよりも自分と相手の関係が変わるんです。場の意味が変わる。

昔、植芝盛平先生のところにやってきたある武道家が植芝先生の合気道の稽古を見て、「合気道というのは『後の先』でございますか」と尋ねると、大先生が「いや、『先の先』です」と答えたと伝えられています。でも、「先の先」というのは武道の用語ではありえないんです。僕の合気道の師匠多田宏先生が大先生に「『先の先』というのはいったいどういうことなんでしょう」と尋ねたそうです。すると、「先の先」とは、刀を斬り下ろしたときに相手がその刃筋の下に首を差し出してくることである、と大先生は答えられたそうです。相手の首を斬るために刀を振るのではなく、自分が振りたいと思う刃筋に刀を振り下ろすと、相手の首がそこに差し出される。これが「先の先」であるという説明をされたそうです。

山本　それはどういうことなんでしょうね。

内田　その感覚はなんとなく分かるんです。感覚を研ぎ澄ませていると、これから何が起こるのか、ちょっと先のことなら分かる。先駆的直感ということを先ほどは言いましたけれど、自分が「したい」と強く感じたことがあったら、それをする。それがまさに「なすべきこと」であった。その逆に、もう終わった技についても、コンマ何秒かのことだったら、相手が自分の手を離れた後でも、修正できる。そういうことは稽古をしていると、実感として分かるんです。時間をちょっとフライングして未来を先取りしたり、過ぎ去った時間をちょっとだけ補正して過去を書き換えたりするということが「できる」ということは僕程度の武道家でも分かるんです。「できる」ということが分かるというのと、「できる」ことは別のことですけれども、この方向で稽古していて間違いはないという確信はある。

ですからこれが名人達人ともなると、多分かなり広い時間の幅の中で、未来の予測と過去の書き換えができるんだと思う。実際に、大先生は、不意の来客でも、弟子に「もうすぐなんとかさんが来るよ」ということがよくあったそうです。外に出ると、その人が向こうの角を曲がってくるところだった。名人達人は常人とは違う感覚の中で生きているということだと思うんですね。こういう武道の話って、お好きでしょう、中田先生（笑）。

中田　ええ、そうですね。私も、時間感覚を変えれば、今のお話のように実態として先の先、つまり未来が見えることはありうると考えているところです。

内田　あると思うんですよ。次に何が起こるかぼんやりと予見できるということもあるし、その後のふるまいによって、過去に自分が行ったことの意味が書き換えられるということも当然ある。

山本　今のお話にも通じると思うんですが、学部のときに中田先生が僕にお教えくださったことが今も非常に印象深く焼き付いています。それは、古典を読む意義についての話でした。古典は、それぞれの時代に注釈が書かれます。古典が完成した後、例えば八世紀の注釈、九世紀の注釈、一〇世紀の注釈がある。そして二一世紀の時代に、中田先生と僕がここにいる。そのとき、中田先生がその古典の八、九、一〇世紀の注釈を読み込んで解釈を知っているとすれば、目の前にいる中田先生の存在は過去に延びていって、八世紀の学者の存在にもなるし、九世紀の存在にもなるのだと言われた。

　イスラームには、人間の「アマル（希望という意味のアラビア語）」は三つの形で永続するという教えがあります。一つは知識として、二つ目は寄進として、三つ目は子どもの祈りの形で永続していくと。ここで言う知識はただの知識ではなく、今の古典を読む話のように、時間を超えて人間の存在がずっと続いていくということです。実はここにいる自分は自己完結した山本直輝ではなくて、いろいろな古典やその解釈を読むことで、自分の存在をどんどん過去に延ばしていくことができる。自分の存在を過去に延ばす訓練をすれば、それは次に別の注釈書を読むであろう未来の自分につながり、あるいはほかの人間の未来にもつながっていく。だから古典を読み、勉強することが大事なのだと教えてくださったんです。

中田　あ、そう。

内田　覚えていないんだ（笑）。

山本　僕はそれを聞いて、感動しました。僕の世代は自己実現の世代なので、自分の望みを実現しなさいと小学校から教えられるわけですが、自分のやりたいことが見つからないと、けっこう苦しくなってくるんです。でも、中田先生と一緒にお会いしたイスラーム学者の方に、自分なんかどうだっていい、自分というものはないのだと言われて、ああそうなのかと思えた。自分というものが意味を持つのは、自分が空になって、ほかの人の知識や考えの受け皿になる、究極的にはアッラーの依《よ》り代《しろ》的な存在になる。そういう器になったときに自己は完成するものだとその先生は言われた。

中田　ああ、思い出しました。時間論の文脈ではなく、その文脈ですね。自分とは何かと考えるときに、現代の認知科学では意識として捉えるわけですね。その場合、意識は脳の中にあると考える。イスラームでは、そうでなくて、自分という存在は世界全体であると考える。あるいは自分が世界だと思っているものはすべて自分であるという考え方。古典を読んでいる人間は古典によってつくられる。それが記憶の中に深く入り込んで、自分の世界を構築しているわけなので、同時代の関係のないものよりはずっとそちらの方が自分をつくっているということです。

山本　あー。そういうことなんですね。

中田　自分なんてないということは、世界が自分なのであって、それと切り離した自分があるというのはもともと間違いであるということです。そのことに気づくことこそが自己実現でもあるという、その文脈で言ったんだと思います。

内田　それは論語でいう「述べて作らず」と同じですね。孔子は自分の教えはオリジナルなものではなく、五〇〇年前の周公の教えを祖述しているのに過ぎないのだという。でも、この「述べて作らず」というのは、実に生成的な立ち位置なんです。自分がオリジネーターだと主張せず、ただの祖述者であるというポジションに身を置くと、ものすごく生産性が上がるんです。それは当然だと思うんです。自分がオリジネーターだとすると、自分が言うことについては、その意義を一〇〇パーセント理解しているということになる。すると一〇〇パーセント理解していることしか言うことができない。でも、「述べて作らず」だと、よく意味は分からないけれども師匠はこうおっしゃっていましたので、これがどういう意味なのかみなさんも考えてくださいと言って、次の世代に「パス」することができる。自分の理解の枠組みに縮減することなく、師の広大な叡智を次世代に伝えるためには、「私程度の知力ではとても理解が及びませんでしたけれども、師はこのように教えられました」という言葉づかいがもっとも有効なんだと思います。

武道でもそうなんです。「僕はこの技が使えませんが、師匠はできました。だから、師匠が教えた通りに稽古してください」と言うことが許される。もし自分にできることだけしか教えてはならないというしばりをかけたら、「縮小再生産」になります。代が下るほど術技は劣化する。それでは道統の継承ということはできません。

自分にできないことでも、「こういうことができた人がいる」ということだけでも伝えておけば、何代か後に天才的な弟子が現れて、「ああ、それはこういうことですね」と言って、ずっと冷凍保存されていた「謎」を解いてくれるかもしれない。「自分にできることしか教えない。自分が一〇〇パーセント理解できたことだけしか言わない」ということをしていたら、このような突然変異は期待できない。

だから、オリジナリティをありがたがるということの意味が僕にはよく分からないんです。自分のうちに起源を持つもの、誰からも学んでいないもの、誰からも影響を受けていないものに価値があるということを本気で信じていたら道統なんか存立できない。自分はその全部を理解していないし、実現することもできないけれど、師から手渡された教えを「これはとても大事なものだからなくさないでね」とねんごろに頼んで次世代に手渡してゆくことならできる。それだけで僕は十分な仕事をしたことになると思うんです。

僕は多田宏先生について合気道を半世紀近く稽古してきましたし、レヴィナス先生の本は三〇年以上読み続けてきました。そして、どちらについても、僕がしていることは「祖述」に過ぎないんです。僕はただの「パッサー」なんです。僕が書いたレヴィナス論は、レヴィナスの論の祖述なんです。レヴィナス先生がほんとうのところ何を言いたいのか、僕にはよく分からない。でも、レヴィナス先生は確かにこういう言葉で語られた。これは僕にとっては「謎」です。でも、これは一生をかけて熟考するに値する「謎」だと僕は思った。だから、それを僕自身の狭い解釈に縮減しないで、「謎」のままみなさんにパスしますので、あとはみなさんご自身で考えてください。そういうやり方です。

多くの研究者は自分が理解できたことを素材にして論文を書きます。「この辺が分かりませんでした」という自分の無知を素材にして論文を書くということをふつうはしません。確かに「分かったところ」だけを集めて論文を書けば、その部分に関しては整合的な説明ができる。でも、その代償に、理解できなかったこと、あるいは「努力してまで理解するほどの甲斐《かい》がない」と判断したことは切り捨てているわけです。そうした「縮減する読み」は研究論文としては成立するけれども、「学統の継承」にはならない。僕は「レヴィナス研究者」ではなく、「レヴィナスの弟子」ですから、「レヴィナス哲学について、これだけのことが分かった」ということを開示することが目的ではないんです。「レヴィナス哲学については、これだけのことがまだ分からない」ということを開示するのが僕の仕事なんです。弟子の本務は、おのれの知的達成を誇ることではなく、師の偉大さを称《たた》えることだからです。もし僕が「一〇〇分で分かるレヴィナス」というような本を書いて、仮にそれを読んだ人がそれだけでレヴィナスが分かった気になったら、僕は困るんです。それは師に対する裏切りになるから。

分かりにくさをそのまま伝える

中田　イスラームもキリスト教もそうですが、聖典や正典は、分かろうと分かるまいとずっと伝えられていくわけです。その意味ではまさにおっしゃった通りで、実際分からないことがいっぱいある。分からないことだらけなので、大学者たちはいろいろに推測する。これは今の、このことを示唆しているのだという解釈もたくさん出てくる。でも、たいていそれも外れているんです（笑）。「クルアーンにこう書いてある。これは今の量子論のことを言っているんだ」「すごい、未来を予言していたのだ」とイスラーム教徒たちはいつも熱く語っています。私も若い頃は、そういう言説を馬鹿馬鹿しいと思って聞いていたんですが、今は、正しいかどうかは分からないが、そういうことを考えるため、思考を促すために聖典はあるのだなと思えます。

内田先生がおっしゃったように、自分の解釈を固定化して、これがこの意味のすべてなんだと結論付けることが間違いなのであって、思考しながら解釈をずっと続けていくことの方がずっと重要なのです。最近、特にそう思うようになりました。

ところが今、どんどんイスラーム世界も変わりつつあって、そういうことを言っても分からないから、分かりやすいものをつくろう、分かりやすくしてしまおうという風潮が出てきています。特に今のインターネットの時代では、先生につくこともしなくなり、これが一番分かりやすい解釈であると断定したものを広めようとするのは、私もすごく困ったことだと思っています。ですから、イスラーム学を教えるときには、分かりにくさをそのまま伝えることをできるだけ意識的にやるようにしています。

山本　預言者ムハンマドも最後の説教で言っていますね。僕が言ったことをほかの地域のその時代の人に広めてください。もしかしたら今、僕の目の前にいるあなたたちよりもそっちの人たちの方がイスラームのことをよく理解するかもしれないと。イスラームを完成させた預言者ムハンマドでさえ、今の時代よりも後に生まれるムスリムの方が自分の教えを理解するかもしれないと、その可能性を最後の説教に言い残している。でも、今のムスリムたちは、まったくそんなふうには思っていません。自分が一番イスラームのことを知っていると思っている。今の若いムスリムたちがつくっているコンテンツって、怪しいものばかりですよ。「この動画を観れば信仰上の迷いが消えます」とか、これを知ればイスラームが分かる系の安直なものばかりです。

内田　そういう動画があるんですか（笑）。

山本　「無神論と立ち向かうことができる五つの重要な論法」とか。

内田　論破術みたいだな（笑）。

山本　伝統イスラーム学を勉強すると分かりますが、この学問は全部解釈で、結論はないんですよ。法学も基本的には全部そう。解釈の積み重ねなので、読んでみると、ウラマーの見解がずらっと並んでいるだけで、何が何だか分からなくなってくる。そこで、その時代時代のイスラーム法学者が、彼らの時代に一番適した解釈を、「ファトワー」という法学裁定の形で出す。そういう積み重ねがあるんですね。それを今を生きている人たちが勉強して、今の時代に適切なイスラーム法解釈は何かとまた考えていく。

例えばお酒を飲んではいけないという「ハラーム（禁忌）」がある。この規定がアルコールの酩酊《めいてい》作用に起因される場合、ではその酩酊とはどんな状態なのかという定義を明らかにすることから法学議論が始まります。ある古典上の酩酊の定義は、上（天）と下（地）の区別がつかない、目の前にいる人間が男か女か区別がつかないほどべろべろに酔った状態。ですから、古典の古い解釈であればほろ酔いは酔ったという定義には入らない。後世のイスラーム学者がいろいろ解釈を重ねて、アルコールが入った飲料は避けましょうという規定になっていますが、厳密に言えば、それも絶対的な答えではないんですよ。とにかく答えのない解釈のオンパレードです。その解釈を永続的に続けていくことが、イスラームの勉強であり修行でもあるのですが、無限にそうしたいろいろな解釈があるという状況に耐えられるムスリムが今はほとんどいないんじゃないかと思う。

中田　特にネット社会の住民は答えがない環境に耐えられない。

山本　はい。ムスリムたちも確実にその影響を受けていると思います。クルアーンの中にも、比喩表現が入る余地のない明らかな部分と、いろんな解釈の可能性がある比喩表現があって、それは神学寄りの学者、スーフィー寄りの学者、神秘主義寄りの学者、あるいは言語寄りの学者ではそれぞれ解釈も違ってきます。ある学者がイスラーム文明のことを「曖昧な文明」と言っています。それは、どれほど曖昧さと立ち向かう忍耐力を持ちうるかがイスラーム文明の大きな特徴だということです。それが近代に入ってそういう耐性がまったくなくなってしまった。禁忌かそうでないかを正しく判断できる人間が正しい知識人とされて、浅薄でかしましい人たちが増えている気がします。

中田　ユダヤ教徒とイスラーム教徒では、人口が三桁ぐらい違うんですね。ユダヤ教には、ユダヤ人が日々読んだり勉強するヘブライ聖書とタルムードがあります。タルムードには人生の指針になるような説話や意見がいっぱい出てくるわけですね。

内田　そうです。論ずるに値する異論であれば、すべて併記されています。

中田　いろいろな議論が併記されている。確かにそれはいっぱいあるわけですが、一応ユダヤ教のタルムードは、その全体が見られるくらいの量ですから、内容が見通せますよね。でも、イスラームの場合、それが三桁ぐらい多いんです。

内田　多過ぎて、タルムードのあの渦巻型のスタイルが取れないわけですね。

中田　取れません。あまりにたくさんあるので、見通せないわけです。すると、分からないから、簡単にしてくれと言われる。クルアーンの翻訳にしても簡単な翻訳にして欲しいと要望がある。難しいものは一般の人間が読んでも分かりませんから、簡単に翻訳するのはかまわないんですが、そこから先があるということを示してくれないと、それはむしろ害にしかならないんですね。

内田　そうですね。

中田　残念ながら、今そうなりつつある。この学問には先がある。それをやっていると一生が終わってしまうので、とりあえずこれをやりなさいというのはいい。でも、これがすべてだと言って広めていくのは、害だと思います。

内田　それは宗教的にはよくないです。

中田　非常によくないです。

内田　開放性というのはとても大切な宗教の生命線だと思います。ユダヤ教では「聖典は完全記号である」と教えます。完全記号であるから、そこには過去についても未来についても、すべてのことがあらかじめ書き込んである。ただし、この完全記号を解釈しているのは、知的にも霊的にも不完全な人間であるから、人間が聖典の中のどの言葉についても「完全に正しい最終的解釈」にたどり着くことはありえない。ですから、一つの聖句について当然無数の解釈が並立し、解釈上の対立が出てくるわけです。

ユダヤ教の場合は、聖句の解釈が一つのものに帰着して固定化しないように、古代から解釈の開放性を保証する装置が準備されています。タルムードもエディションが二つあるし、同時代に必ず偉大なラビがふたり登場してきて、ひとりがある解釈を立てると、必ずもうひとりが「その解釈は違う」と異論を立てる。どちらも互いの学知を尊敬し合っているのですけれども、聖句の解釈が単一の「最終解」に帰着することは決してあってはならないということについては一致しているわけです。タルムード解釈において絶対の禁忌が「最終的解決（final solution）」だったのです。ですから、ナチスがユダヤ人問題について「最終的解決（Endlösung）」という言葉を選んだのは偶然ではないんです。

常に最終的な解にいたり着くことを自制して、自らを足場の落ち着かない宙づり状態に保つことは非常にストレスフルな営みですけれども、ユダヤ人は伝統的にこのストレスに耐えることで人間の知性も感性も霊性も熟成すると考えていました。ナチスのイデオロギーはそれを全否定するものです。あらゆる存在はその「最終的な意味」を萌芽《ほうが》形態でおのれのうちにすでに所有している。だから、自分の内側をよく覗《のぞ》き込んで「自分がほんとうは何者であるのか」を発見しさえすれば、それですべては終わる。おのれのアイデンティティを知れば、その後、自己陶冶の仕事はもう不要なんです。人間としてこれ以上成熟するために努力をする必要がなくなる。だから、アイデンティティのイデオロギーというのは、知的負荷を劇的に軽減するという点では、ほんとうによくできているんです。

でも、人間が知性的、感性的、霊性的に成熟するためには、厳しい知的負荷に耐え続けるということが必須なんです。人間の脳の構造のことを考えても、ものごとをペンディングにしておく方が、ものごとをきちきち片づけるより脳の機能の向上には資する。これは経験的に確かです。すべてのものを分類して、ラベルを貼って、ファイルキャビネットにしまい込んでしまえば、確かに机の上はすっきりしますけれども、その机の上からはもう新しいものは何も生まれない。机の上が散らかっているからこそ、思いがけないものの結びつきが起こる。

ユダヤ人は中田先生がおっしゃったように、イスラームの人に比べてほんとうに人口が少ないんです。世界の人口の八〇億のうち、ユダヤ人はおよそ一五〇〇万人ですから、全世界の人口の〇・二パーセントに満たない小さい集団なのです。でも、ノーベル賞受賞者の数では、医学・生理学分野と物理学賞の受賞者の二五パーセントがユダヤ人です。つまり、人口一五〇〇万人で人口二〇億の集団に匹敵する知的パフォーマンスを達成していることになる。

これをユダヤ人の脳にだけ遺伝的に何か機能異常があるせいだというふうに解釈した人が過去には実際にいましたし、それがユダヤ人抹殺の根拠にもなったわけですけれど、そんなことはあるはずがない。そうではなくて、これは民族的規模で採用してきた「思考法」の産物なんだと。それが問いに最終的な解を与えず、常にペンディングにして、脳内でエンドレスの対話を続けてゆくという宗教的な装置の意味だと僕は思います。確かに、最終的な解を先延ばしにされるというのは、まことにストレスフルなことですけど、でも、明らかに脳の機能の向上には資するところが大きい。

ユダヤ・ジョークで、ユダヤ人に何か質問すると、「君はなぜそう問うのだ」と質問に対して質問で返すというのがあります。これは実際にやられると分かりますけれど、すごく腹が立つんですよね。問いには答えないで、そのような問いを持つにいたったお前自身の思考の生成プロセスを遡及的に分析してみろと命令してくるわけですから、けっこうむかつくんですよ。

でも、そのストレスに耐えると、問いの次数が一つ上がる。私のうちのいかなる文脈でその問いは形成されたのか、それを問うことで私はいったい何を達成しようとしたのか……というふうに問いの次数を上げてゆくことの方が、問いの答えを得て「なるほど」と話を打ち切るよりも、対話しているふたりの知的能力を高めるためにははるかに有用であることは確かなんです。

人間はなぜ宗教というものをつくり出したのか。それは「超越」とか「外部」とか「他者」とか「空」とか「仁」とか、そういう定義不能な概念を持ち込んできて、それについてああでもないこうでもないと熟考することを通じて脳の機能が飛躍的に向上することが経験的に分かったからではないかと思うんです。平たく言えば、宗教も哲学も、そのようなものを持っている集団の方が生き延びる確率が高いという経験的事実を根拠に成立したのだ、と。

「人知を超えた境位」というものがあり、人間にはさしあたり全容が理解できない法則によって世界はコントロールされているというふうに考える集団と、「人知を超えた境位」というものを想像することさえできない集団とでは、どちらが生き延びる確率が高いか。これは考えるまでもなく明らかです。「人知を超えた境位」があるという前提を採用すれば、「ここまでは分かる」領域と「ここから先は分からない」領域の間の境界線が「知のフロントライン」になります。どこにフロントラインがあるか分かれば、そこに人間的資源を集中することができる。

宗教的感性も、科学的知性も、そうやってフロントラインで熟成を遂げてきた。僕はそんな気がするのです。

中田　ユダヤ人は果てしなく問いを立てていくわけですね。私も内田先生もX《エックス》（旧ツイッター）をやっていますが、あの世界では、まさにその逆のことが起きていますね。つまり、安易な最終解を求める質問ばかり飛んでくる。そういう質問をする人間がいるということ自体が私は不思議なんです。Xの一四〇字で答えられるような質問なんか、ろくなものじゃありません。一回目だけは答えますが、何も考えずに結論だけを欲しがる人間はダメだと思うので、結局すぐブロックしてしまいます。

山本　と、先生はおっしゃいますが、実は非常に優しいと思いますけどね。

中田　いや、一四〇字で答えられるはずだと思っているのと同じことですが、何を根拠にしているのか、相手を論破できると思っている連中がやたらいることが、ほんとうに恐ろしいことだと思うんですね。

集団的な愚鈍化を招く「論破術」

内田　今どきの「論破術」と称されるものはすごく危険なものだと僕は思います。論破術って、要するに、論点を絶えずずらしていき、ほんとうに重要な問いには決して答えようとしないで、相手に対する知的優位を取ることだけを目的にするというやり方ですよね。相手が言っていないことを言ったかのようにして批判する「わら人形論法」とか、術語の定義とか、どうでもいいようなデータの数字とか法律条文とかトリビアルな知識を尋ねて、それに答えられないと論争の相手が「いかに無知か」を聴衆に印象づけようとする。それがずいぶん洗練されてきて、若い子たちがこの論破術なるものを会得して、日常生活の中で使っている。

山本　ティックトックやユーチューブで流行《はや》ってますね。

中田　やっているんだろうね。私は観ないけど。

山本　あれで多分自然に学べている。

内田　非常に不誠実ではありますが、あれも一種の論争術ではあるわけです。で、あれでやり込められると、やられた方はけっこう落ち込むんですよね（笑）。勝った方は得意げで。確かに相対的な優劣だけで見ると、そうやって自分と論争している相手の知的なパフォーマンスを下げることで、自分は利益を得たというように思える。でも、論争相手も含めて、僕たちは集団を形成しているわけです。自分ひとり論争に勝ち残って、ほかの人たちはみんな落ち込んで、知的なアウトカムが減殺したとすれば、集団全体としての知的パフォーマンスは著しく低下する。論破術をうれしげに操る人たちは、個人的な達成感の代償として、集団全体の生きる力を衰弱させているのです。

今の世界はもう全部そうなのかもしれないですね。相対的な優劣を競うときには、自分のパフォーマンスを向上させるよりも、相手のパフォーマンスを下げる方が圧倒的に簡単なんです。自分を賢者に成長させるのは手間暇がかかりますけれど、相手を愚者のように見せることは手先の技術で可能です。だから、費用対効果を考えたら、自分を高めることよりも、相手を低めることの方を選ぶ。相手をどうやってくじけさせるか、相手の誠実で知的な活動をどうやって阻害して、語る意欲をなくさせるか、そこ一点に論破術は集中する。現代人はその技術の習得に非常に熱心ですし、その術に長《た》けている人も増えてきている。でも、それは集団的な知的パフォーマンスを引き下げることであり、「集団的愚鈍化」に帰結するということなんです。

中田　おっしゃる通りだと思う。

内田　集団が生き延びるうえでは、きわめて危険なことですよ。

山本　オスマン帝国の学者を養成するカリキュラムって、最初はアラビア語基本文法や言葉のトポロジー、論理学、美辞学と修辞学などを勉強するんですが、それが終わると、対話術の勉強に移るんです。この対話術は、今お話されたような論破術ではなくて、ひとりではとても解決できない問題を、例えば先生と学生ふたりで対話しながら追求していく術を身に付ける勉強です。相手との会話を通じて螺旋《らせん》的に問題を深く深く追求していき、相手に語らせることで答えを探っていく。その方法を実践で勉強するんです。それが終わって初めて法学と神学の授業に進めるんです。

イスラームにも論破術に近いものもあります。明らかに自分に対して悪意を持って接してこようとする人間、あるいは、真理を知るつもりがもともとない人間だと分かっているときに使っていい論法です。それでもイスラームではけっこう失礼なやり方なんですけど。本来は丁重に、「ああ、そうですね。あなたが正しいと思います」と言って帰っていただくのが正しいんですが、それでも帰らないやつがいたら、徹底的にぶちのめしていい（笑）。

そういえば、ガザーリー（一〇五八―一一一一。ペルシャのイスラーム神学者、神秘主義者）がその論破術を批判していましたよ。

中田　ガザーリーは哲学の天才で、かつ非常に頭のいい人だったので、論破術がものすごく得意だったんですね。だから、頭がよすぎて、相手が正しかったとしても論争に勝てちゃうんですよ。それで限界があることに気づいて、神秘主義の道に行くんです。

内田　相手が正しくても勝っちゃうって、面白いですね。確かに、それでは本人も困ります

（笑）。

問答は正解を導くためにあらず

内田　昨日韓国の若者たちが僕の道場凱風館《がいふうかん》を訪れて来たんです。僕と朴東燮《パクドンソプ》先生という方でまずふたりでおしゃべりをして、その後、質疑応答の時間になったので、「ご質問のある方どうぞ」と言ったら、釜山《プサン》から来たある学生が、「僕は質問することがはたしていいかどうか分からないんです」と言うんです。「どうして？」と聞いたら、「自分で見つけるべき答えを人に聞いて、その人からパッケージされた答えをもらってしまったら、それは知的怠慢になるんじゃないか」と言うのです。面白いなと思ってこう問い返したんです。「君はもしかすると、問いと答えというものがセットになっていて、君が問うと、それに対して『正解』というものがこの世にあって、僕がそれを与えると思っているんですか？」と言うと、「違うんですか」と目を丸くするので、「正解なんてこの世にないんですよ」という話をしました。

なぜ人に問いかけるのか。それは問いかけることによって、自分が生まれてから一度も聞いたことがない言葉を引き出すためであって、求めているものは「答え」じゃない。call & response ですから、呼びかければ必ず応答が返ってきます。でも、「応答」は呼びかけに対する応答であって、問いに対する「解答」ではない。「問い」という知識や情報の欠如がいっぽうにあって、他方からの「答え」がその欠如の穴にはまって話は終わるというのではなくて、問いが生産的な問いであれば、それに対して豊かなレスポンスがある。それに対してまた次の問いが生まれて……という形で対話は進行していくんです。一番つまらないのは、相手の問いに対して、「はい、これが正解です」「ああ、そうですか、分かりました」で終わることです。そりゃ、「駅はどこですか?」というような問いには「あそこの角を曲がったところです」という正解一つしか差し出しようがありませんけれど、僕たちがものを問うというのは、そんなシンプルな答えを求めてではありません。

問われた方が「今、君にそう聞かれて、ふっと思ったんだけど、こういう話があるじゃない?」と、その問いをきっかけにして「生まれて初めて言う言葉」が生まれたら、それはきわめて生成的な問いだと思います。それを聞いて「そう聞いて、今ふっと思ったんですけど」と返す。そういうやり取りがもっとも生産的なものじゃないかと思うんです。

だから、何を質問しようとかまわないんです。君がどんな質問をしても、多分、僕は「そう聞かれたので、今ふっとこんな話を思い出しました」というリアクションをするから。そんなことをその韓国の学生に言うと、「それを聞いて何かほっとしました」と言っていました(笑)。

学問を邪魔する無用のシラバス

山本　今のお話を聞いていて、学生たちがデジタル化せざるをえないのって、少し分かる気がするんです。大学で働いていてすごく悩んだのが、授業を開講する前に準備するシラバス（授業計画）です。一四週で何を教えるか詳しく書いて、かつ週ごとにこれは何の目的で教えるのかを書き、そしてこの授業を一学期受けると何を学べるかを同じぐらいの分量で書かせられる。じゃあ学生がそのシラバスをダウンロードしたら、もうこの授業来なくていいんじゃないかと思うくらい。

内田　あれはまったく不要なものです。

山本　どうすればいいんですか。あれって書かなきゃいけないんですか。

内田　あれは工場における工業製品の仕様書なんです。この製品はこういうような素材や成分でできていて、どういう効能があって、服用限度はどれほどで、賞味期限はいついつまでですという工業製品の規格そのものなんです。乾電池とか解熱剤の効能書きと同じです。それを大学の学校教育に適用しているわけですから、まったくナンセンスなんです。生身の人間を相手にしているときに、工業製品の仕様書みたいに、「この成分をこれだけ足すとこういう結果が出ます」なんてことは絶対ありえないわけですから、シラバスは端的に「学問の敵」です。

山本　何を学べるかを一〇行ぐらい書いて、なおかつ授業で使う参考文献も全部載せなきゃいけないんですよ。これを配ればもう終わりじゃないかと思う。

内田　「何を学べるか」を受講する前に開示せよという指示がどれほどナンセンスか、分かっていない人間がつくった制度です。

山本　はい。僕は準備する側として耐えられない。

中田　それでも、授業のシラバスは、研究助成よりまだましですよ。研究助成は、この研究をやれば何が見つかって、それが何の効果があるかまで書かせるわけですから……。

内田　研究、もう終わっちゃっているわけですね（笑）。

中田　そうです（笑）。

山本　世界に与えるインパクトも事前に分かっている。

中田　そうそうそう。

山本　僕、大学院時代にそういう訓練をされたので、書くのには抵抗はないんですが、シラバスをそのまま信じている人がいるとしたら、相当まずいんじゃないかと思います。

中田　小学生レベルならシラバスもあっていいかなとは思いますが、大学生相手の授業にそれをつくるのは不毛ですよね。研究所で新しいものをつくるのにそれを求めるのは、もっと不毛だと思いますけど。ほぼ同じ形式ですから。

内田　ああいう制度をつくったやつは「知の敵」です。

山本　授業の成果、アウトカムみたいなことを書くのはほんとうに苦手です。「いろいろなことが勉強できます」と一行ぐらいで単純に書いたら、速攻で却下されました。もっと詳しく書いてきてくださいと。シラバスは誰が初めてつくったものなんですか。

内田　シラバスは一九九〇年代末くらいにアメリカから入ってきたんです。それまでは学修便覧というのがあって、それこそ授業目的は「人生について考える」みたいな、そんなアバウトなので通ったし、学生もそれを見て履修科目を選んだんです。それがある時期から大学でも精密な工程管理を導入せよという話になった。あれは「教育活動は全部工程管理できるし、すべきだ」という発想の産物です。

これは、僕の持論なんですけれど、僕らの世代が子どもの頃までは、学校教育というのは基本的に農業のメタファー（隠喩）で語られていました。基幹産業が農業だった時代の名残が学校教育にも色濃く反映していた。子どもたちは種子で、先生や親たちが畑に種子を蒔《ま》き、水をやって、肥料をやるところまではしますが、あとはお天道様任せです。ひでりになっても、冷夏になっても、台風が来ても、病害虫があっても、それは自然のなすことですから、人知ではどうすることもできない。だから、秋になって畑に何かが実ったら、それを「天の恵み」としてありがたく収穫する。そうした農業のメタファーで学校教育が語られていた。

農業だと、人間が管理ができるのは、せいぜい全行程の二割か三割でしょう。あとはお天道様頼みです。子どもは植物に類するものとして語られた。君たちは芽であるとか、若葉であるとか、若木であるとか、とにかくこれからすくすく成長するのだけれど、はたしてどんなものになるのかは、誰にもよく分からない。

ところが、高度成長期になって、基幹産業が農業から工業に替わるにつれて、学校教育も工場における工業製品製作のメタファーで語られるようになった。工程管理とか、質保証とか、PDCAサイクルを回すとかいう工学的な語彙が学校に入り込んできた。工場は屋根があって、二四時間温度も湿度もエアコンで管理できますから、理論的には一〇〇パーセント工程管理ができる。いついつの納期までに、どのような仕様の製品を、いくつ調達するという言葉遣いで教育活動が平然と語られるようになった。子どもたちが農産物から工業製品に替わったんです。でも、自分たちがただ基幹産業のシフトに対応して、教育観そのものを書き換えてしまったということに、教育行政の当事者たちは気がついていない。

日本の学校教育は二〇世紀前半の前期産業社会に最適化した教育をしていると海外からは批判されていますけれど、それはまさに「缶詰をつくるような工程」で子どもを育てているということです。そうやって育てられた子どもたちは長じて「缶詰をつくる工程」では役に立つでしょうけれども、もうそんな時代じゃないから、産業の高次化には追いつけない。だから、最近は「ポートフォリオ」とか「付加価値」とか、資産運用の用語で教育を語る人間が出てきました。でも、金融が基幹産業だった時代ももう終わりつつある。だから、これからはAIとかロボット工学とか仮想現実の時代だからと言って、そういう産業の用語を教育に持ち込んで来るやつがきっといると思いますけれど、そういう連中は自分たちが産業構造の変化の後追いをしているということに気づいていない。

山本　やめる選択肢はないんですか?

内田　それはやめるしかないでしょう。工業化以前の、あの懐かしい「メタファー」で教育を語る時代の方が僕はよかったと思いますよ。教育では一〇〇パーセントの工程管理をめざすべきではないという認識が必要だと思いますから。

僕が大学の教務部長だった頃に、文科省からシラバスを精密に書けという指示がうるさく来るようになった。僕はシラバスを導入することで教育効果が上がったというエビデンスがあるなら見せて欲しい。こんなものに意味があると思わないという立場でしたから、教授会でも「シラバスなんかはっきり言ってどうでもいいです」と言ってしまった。そうしたら、シラバスを白紙で出した教員がいて、翌年文科省の助成金がざっくり削られました。

山本　見せしめですね。

内田　シラバスに精粗がある。全員にもっと均質的に精密に書かせるようにという理由でした。経理部長からは「内田先生のせいで助成金が何千万円か減りました」とずいぶん愚痴られました。そのとき、文科省ってほんとうに汚い省庁だと思いました。シラバスの導入を命じるなら、それが教育上有効であるエビデンスを示すべきなんです。そして、シラバスを精密に書いた場合と書かない場合では、学期終了時の成果にこれだけ違いがあるというデータを示してくれたら、僕だって喜んで受け入れますよ。でも、それがなかった。それどころか、うちの大学で行ったアンケート結果を統計的に処理してみたら、「シラバス通りの授業をしているか」という項目のスコアだけが授業満足度とまったく相関がないことが分かった。それ以外の「板書がきれいか」とか「時間通りに来るか」とかいう項目はすべて程度の差はあれ授業満足度と相関があったのに、「シラバス通り」だけは無関係だった。だから、教育上無意味なんです。にもかかわらず、そういう無意味なタスクを現場に課してきて、「無意味だからやりません」という学校にはペナルティを課す。それって要するに「人間というのは意味によってではなく、金で動くものだ」という底の浅い人間観を文科省が率先して日本社会に宣布しているということじゃないですか。恥を知れと言いたいですね。

山本　シラバスもそうですが、人間は生もので機械じゃないと言いたくなる状況が、どんどん増えてきていますね。最近、ムスリム世界で増えているのが、ユーチューブなどの動画で、録画してみんなに語りかけるコンテンツです。僕もトルコで働いているので何回か頼まれたんですが、あれはほんとうに苦痛でしかなかった。どんな人間でも理解できるイスラームを教えるプログラムなんて、そんなものできるわけがないんですよ。

それに顔が見えない状態だと、自分の話を途中で修正できないじゃないですか。今、目の前にいるこの人はどういう話に興味があって、何を求めているのかって、やっぱり表情や動きを見て分かるものじゃないですか。そういう手ごたえや触感みたいなものがないと、僕は、言葉が続かないし、しゃべるのが辛《つら》くなってくるんです。でも、そういうしゃべりが得意な人もいるんでしょうね。イスラームを勉強する環境でも、そういうビデオを撮って一方的に流すようなやり方が最近一気に加速してきた気がします。

内田　そうですか、イスラーム世界でもそういうことがあるんですね。

山本　伝統的なイスラームのカリキュラムは、先ほどもお話ししましたが、先生が学生の目の前にいて、互いに対話しながら、生徒だけでなく先生も教えることで成長していくというのが理想なのだと思います。そういう機会がどんどん減っていくと、これからイスラーム世界はどうなるのかとちょっと心配になります。

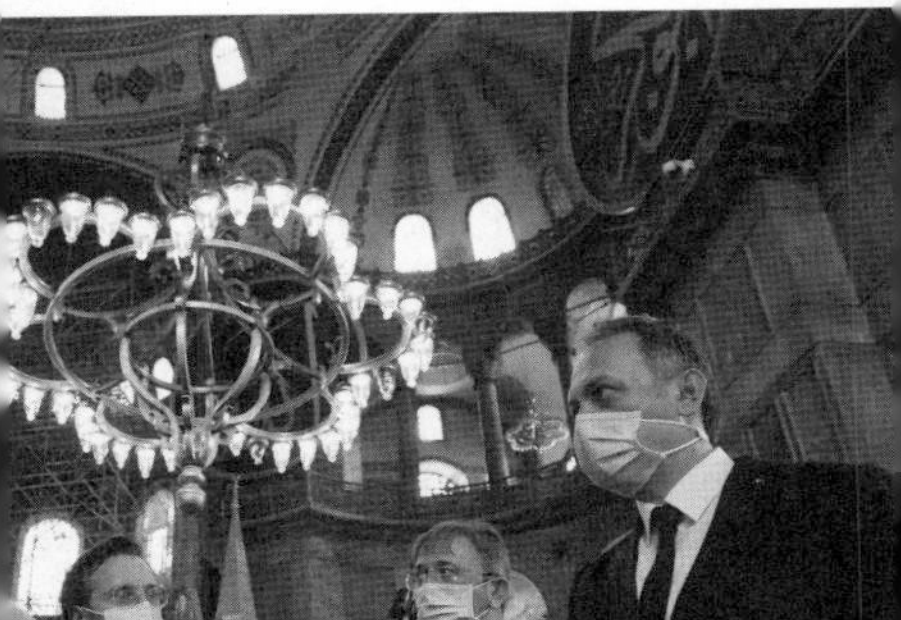

2020年7月19日、イスタンブールのビザンチン建築アヤソフィアを電撃訪問したエルドアン大統領。モスクとして改築し礼拝に開放することを宣言した。

写真＝代表撮影／AP／アフロ

エルドアンとは何者か？

内田　日本にいると、なかなか知ることができないイスラーム世界のお話をいろいろ聞けて楽しいのですが、今日は、エルドアン政権のトルコがロシア・ウクライナ戦争が長期化する中で、積極的に調停を訴えかけているというトピックを取り上げて、トルコの外交をどう評価するかというテーマもいただいていますので、その話をしたいと思います。

先の選挙でも勝利したエルドアンという人は秘《ひそ》かにイスラーム帝国的な学知を継承していて、それをリバイバルさせるような動きもあると聞いていますので、その辺りの実相を伺えたらと思います。

中田　エルドアンという人は、ちゃんとしたイスラーム教育を受けた人なのです。このことはあまり知られてなかったのですが、この数年で周知されてきました。特にアヤソフィア大聖堂（一九八五年に世界遺産登録されたイスタンブールにある大聖堂）で、クルアーンを読んだときは、ムスリムたちはみんな、おー、これはすごいと称賛していましたね。

山本　僕が初めて留学したのは一三年前ですけど、エルドアンがある程度イスラーム学をちゃんと学んだ人だということは、周りの人はみんな知っていましたよ。

中田　修行をしている人は知っていても、当時は、公には表に出していなかったでしょう。
実はエルドアンは、西洋的な意味ではそれほど学識のある人ではないんですよ。どこかの大学を出たというのも……。

山本　選挙のたびにトルコの野党はエルドアンの学位は偽造だって騒いでいますね。

中田　そういう意味では西洋的な学のある人じゃないんですが、イスラーム学のちゃんとした修行をしている人で、クルアーンを読むのは私よりもうまいですからね。

山本　鼎談の最初でもちょっとお話ししましたが、エルドアンの政治的なお師匠さんにエルバカンという人がいます。そのエルバカンのお師匠さんにザーヒド・コトク（スーフィー教団の指導者）というイスラーム学者がいるんですが、彼は、オスマン帝国のスルタンを支えていたスーフィー教団の導師の系列にいる人です。伝統的なマドラサで教育を受けた知識人で、その人が育てた政治家かつ実業家としての虎の子のお弟子さんがエルバカンなんです。

中田　エルバカンは国民救済党とか、いろんな名前の政党から出ていましたね。

山本　ええ、国民救済党というトルコ初の新イスラーム系の政党を立てて、一九七〇年代に副首相になるんですが、八〇年に軍部の圧力により一度失脚します。エルバカンは、トルコの経済発展のためにはイスラーム的な価値観が絶対必要だと言い続けた人で、その理念を「ミッリー・ギョルシュ（Milli Görüş 国民の視座）」と呼んで、政党の柱にしていたんですね。彼は、失脚後しばらくして福祉党を結成して、与党として選挙に勝ったときに首相に就任（一九九六年）するんですが、それも束の間《つかま》で、すぐに軍部の圧力によってまた失脚させられるわけです。その後、政治的勢力としては衰えるんですが、そのエルバカンが大事に育てたのがエルドアンです。学識で言えば、ザーヒド・コトクが大ボス的存在で、エルバカンはその弟子。エルドアンはそういうハードな古典教育を享受してきた先生の弟子筋にあたるので、それなりの学知を持った人だと言えますね。

中田先生がおっしゃったように、クルアーン読誦《どくじゅ》も非常にうまいです。例えば我々が仏教用語を言うときに、菩薩《ぼさつ》様とか盧舎那仏《るしゃなぶつ》とか、日本語的な訛りが生じますよね。そんな感じで、トルコ語にアラビア語が入ると、ものすごく訛るんです。クルアーンの聖典のアラビア語を読むときも、いかにもトルコ人の訛り方で読む人がほとんどなんです。ところが、エルドアンは抑揚のつけ方とかアラビア語の発音の仕方とか、本格的に伝統的な読誦学を学んだ人の読み方をするんです。読誦の仕方で、その人がどれだけイスラームの学識があるか、パッと分かります。

中田　一瞬で分かります。

山本　はい。ちゃんとしたイスラーム学の先生について勉強した人だということが分かる。

中田　アヤソフィアでのクルアーン読誦は二年前ですね。山本君もその式典に参加していましたね。

山本　はい、参加しました。二年前、トルコ共和国ができて八十数年ぶりに、再びアヤソフィアをモスクとして使うという決定がなされて、ちょうどその頃、僕はイスタンブールのイマームハティーブ高校で働いていたんです。イスラーム保守的な国立の高校なんですが、トルコで初めて高校に日本語学科を開設するというので、応募して、一年間日本語教師としてそこで教えることになったんです。高校の名前のイマームとはモスクで礼拝を先導する人たちを指して、ハティーブはモスクで説教する人たちを指すんですが、その高校の大きな特徴が、非常に熱心にクルアーンの暗唱に取り組んでいることです。多分、五割を超える生徒たちが、あの長大なクルアーンを全暗記している。

中田　全巻覚えているんですね。

山本　そうなんです。これも修行の一つですよね。それで、そのクルアーンを全暗唱した高校生たちを祝う式典がアヤソフィアで行われることになった。多分トルコ共和国ができてから初めてのことです。

余談ですが、ビラール・エルドアンというエルドアンの息子はすごい日本好きみたいで、初めてお会いしたとき、僕が日本人だと気づくと、「これ見て。僕、やぶさめを撃っているんです」って、日本に行ったときのスマホの写真を見せてくれたりして（笑）。

中田　エルドアンのクルアーン読誦は、パフォーマンスでできるレベルをはるかに超えていますね。何十年も日々の鍛錬としてやっていないとできません。内田先生がおっしゃっていた武道や芸の継承者と一緒で、それを極めている感じがします。アラブ人の政治家の中でそれができる人間はほとんどいませんから。

山本　いないですね。ヨルダンの今の国王も長い間イギリスで育った人なので、アラビア語が下手で有名ですからね。就任したときもイギリス訛りが残っていて、けっこうムスリムたちに馬鹿にされていました。

イスラームで一番勉強熱心なのはタリバン

中田　その意味では、イスラームにおいて一番勉強熱心なのがタリバンです。ソ連が侵攻してきたという特殊な事情もあって、アフガニスタンの敬虔《けいけん》なムスリムはみんなパキスタンに逃げて、難民キャンプで暮らすようになるんですが、その地で日々勉強を続けるんです。子どものときから朝起きて寝るまでずっとカリキュラムがあって、礼拝をして、一緒に食事をして、一緒に勉強してというのを二〇年ぐらいやる。それをやってきた人たちが今、指導部にいるんです。彼らは一対一で実践を積んで、イスラームの作法や論理をすべて学んでいる。私は、タリバンが今、世界で一番知的な人たちだと思っています。

山本　彼らは、まず軽薄な論破はしてこないでしょうね。

中田　そもそもそういう教養を身に付けていないふつうの人間は、彼らと話ができませんからね。タリバンは女性蔑視で女の子たちに学校も行かせないじゃないかという、西側諸国の批判があります。しかし、タリバンは女性の教育を禁止しているわけではない。理由があるから今は一時的に禁止しているだけなのです。

タリバンとイスラーム国の人たちは、外から見ると同じように見えるかもしれませんが、実はまったく違います。イスラーム国の人たちには、タリバンのような教養や訓練が全然ないわけです。クルアーンというのはすごく分かりやすい教えなので、これを読んで目覚めた人間がイスラーム国の住人に一夜にしてなれる。だから、訓練も修行もない。そういう無教養の人たちがタリバンは生ぬる過ぎると言って、学校に通う女性たちを襲っているんですよ。この前もずいぶんたくさんの女性たちが襲撃で死にました。その危険があるから、今は学校に行くのを我慢してくれとタリバンは言っているわけです。

そのことを西側の人々はまったく理解してくれないんですね。今までの米軍統治であれば、芸術を学んだり、舞台俳優になったり、そういうことができたのに、今は何もできないじゃないか、女性が可哀《かわい》そうだと言う。しかし、今はそういう状況ではなく、経済が逼迫《ひっぱく》して、みんな飢えて死んでいる。彼らはそれを立て直そうと必死なのです。今、タリバンが世界で一番知的な人間だと言うと、西側のみなさんは「えっ」と思うでしょうが、彼らほど勉強熱心でイスラーム学に通じている人々を私はほかに知りません。

勉学の時間だけを取れば、今、中国や韓国も、子どものときからものすごい量の勉強をさせていますが、それは実用教育であって、古典教育とはかけ離れたものです。ところが、イスラームでは、一七世紀ぐらいにできたギリシャの論理学と修辞学を基本にした教育プログラムを、子どものときから教え込まれます。さっきの対話術や論争術もこうしたプログラムに組み込まれています。特に、インドにはそれがダイレクトに広がっているんですね。

山本　ニザーミー方式ですね。これは南アジアのムッラー・ニザームッディーン・サハールヴィー（一六七九―一七四八）がつくったイスラーム学カリキュラムです。伝統的なイスラーム学は一科目の習得に何年もかけ、イスラーム学者となるのに二〇年から三〇年かかると言われているのですが、ニザーミー方式ではイスラーム学者となるのに必要と思われる科目を整理し、八年から一〇年で全教科をバランスよく教えることを特徴とします。特にこの時代のマドラサには官僚養成の目的があったことから、ニザーミー方式では典型的な宗教学よりも論理学、哲学、数学といった実学的な教科を重視しています。

中田　そうそう、ニザーミー方式。その教育法を身に付けている人たちがいるのが、パキスタンとアフガニスタン、そしてもう一つが先ほどバクラヴァのお菓子屋さんで話題に上ったガジアンテップにあるトルコのクルド地区です。

内田　ようやく話がトルコに戻ってきました（笑）。

中田　トルコの東部地区ですね。私が学生だった頃は、クルドのマドラサの存在をまったく知らなかった。私だけでなく、今から三〇年以上前の時代には、西洋のイスラーム学者も誰ひとり知らなかったんですよ。ファン・ブルネッセンがクルドのナクシュバンディー教団の人類学的研究を発表していたのが唯一の例外でしたが、彼もマドラサについては当時のトルコ国内の研究状況を考慮してだと思いますが詳しくは言及していませんでした。トルコの今のクルド地区には、伝統的なマドラサが残っていたんですね。しかし、トルコでは長い間マドラサでの教育が刑法で禁じられていて、見つかると捕まってしまう。そういう厳しい統制もあったので、トルコの学者も語らなかったし、誰もその存在を知らなかったんです。そのマドラサで実践されていた非常に高等な伝統教育が、実は今のトルコのエルドアンの政権を支えているということが最近になってやっと分かってきたところです。

タリバンもそうですが、トルコやアフガニスタン、パキスタン、インドネシアやマレーシアと、イスラーム世界はそうやって伝統教育によってつながっているんですね。イスラームの国際法もそのつながりが基軸になっていますし、それがイスラーム世界の本来の在り方だと私は思っております。

山本　ニザーミー方式は、基本的には近代改革派的なものですよね。タリバンって復古主義の原理主義とよく言われますけど、イスラーム学問的にはむしろ改革派なので、復古でもなければ原理でもないですよね。

中田　そうなんですが、ただ、対立スパンが長いもので、一五〇〇年の歴史の中で見ると、三〇〇年ぐらい前のことも改革派なので、新しい流れには見えにくいのですが、イスラームの今の歴史の文脈の中で言うと改革派の流れではあります。今言った通り、そのカリキュラムをそのまま日本語に訳すと、日本の小学生、中学生にはまったくついていけないぐらいの内容がある。昔の日本の四書五経並みのもので、これはイスラームの古典と言うよりはむしろギリシャの古典なので、そちらの人類学や法学も入ってくる。というような学問を子どものときから教えられているという背景を考えないとトルコの今の動きは見えてこないと思います。

そしてロシアとウクライナで起こっていることも、ずっと遡って歴史を見ないと分かってこないでしょうね。

対話する教養は国境線をなくす

山本 エルドアンのお師匠さん筋のザーヒド・コトクは、ナクシュバンディーという、スーフィー、神秘主義教団の師匠なんですが、彼らの枝教団のルーツがクルド地域なんですね。今先生の言ったクルド地域のマドラサで教えていた学問には、ニザーミー方式とほぼ同じ教科書が使われているんです。ニザーミー方式はオスマン朝のカリキュラムともかなり似ているので、古典教育を通して彼らはタリバンとも対話が可能だと思います。

中田 私もそう思います。

山本 それに関連して、学問には国境などないのだなとあらためて実感したことがあるんです。

僕には、今話題に出ているイスラームの伝統教育に使われているニザーミー方式を分かりやすくまとめて日本語に訳したいという夢があります。それでとりあえず、初めに学ぶ古典アラビア語文法や形態学（モルフォロジー）の英語訳の本を集めようと思ってインターネットで調べたら、ニザーミー方式のアラビア語文法学の本が見つかったので注文したんです。イギリスの出版社だったので、イスタンブールの住所宛てに送るように手配したら、突然、個人的にこんなメールが返ってきた。「日本人で、しかもイスタンブールで暮らしている人からの注文は初めてで、すごく興奮しました。僕は三日後ぐらいにイスタンブールに行く予定があるのですが、よければ会いませんか」という内容でした。

内田　へえ、そういう出会い方って楽しそうですね。

山本　そうですね。実際に会ってみると、その人は親がパキスタンのカラチ出身のイギリス生まれ。だからパキスタン系イギリス人ですね。今は、トルコのハタイで働いているという。その彼が今やっている仕事を聞いて、僕はほんとうに驚いたし、感心したんです。

ハタイはガジアンテップと同じシリアとの国境沿いの街で、そこにはたくさんのシリア難民が暮らしています。シリアでの内戦が起きてもう一〇年を過ぎているので、ハタイでは難民二世代目が生まれているんです。その二世たちの抱える問題は、トルコ地域に避難したので、ちゃんとしたアラビア語教育を受けられないことなんですね。避難地区ではトルコ語とアラビア語が混じっているので口語アラビアはしゃべれますが、正則アラビア語（フスハー）は確実にしゃべれなくなっている。シリア人は正則アラビア語を一番きれいに話す、言語に関して卓越した民なのですが、その伝統が途切れようとしている。親世代はなんとかシリア人としてアラビア語のリテラシーを残したいという思いがある。その苦境を知ったこのパキスタン系イギリス人の彼が、その支援を買って出たんですね。彼はハタイまで行って、そこに寺子屋を建て、シリア人二世の子どもたちに向けてアラビア語の授業をしているそうです。世界にはこういう人がいるのかと、なんだか胸が熱くなりました。

中田　そういうことにもイスラームのつながりを感じますね。

山本　はい。この本を注文したのは、僕にも似たような志があって、イスラームの学問を日本に紹介したいのだということを彼に話しました。彼自身も、カラチの学校でニザーミー方式の教育を受けて伝統的な学者になった人です。ニザーミー方式の教育をタリバンも受けていると いう話は、ふつうのイギリス人が聞けばテロリスト養成のカリキュラムじゃないかと思うかもしれませんが、彼は怒りもしないし、ずっと紳士でしたよ。イギリスで育っているので、英語の発音もすごいきれいでしたけど、イスラーム世界のことをちゃんと理解し、かつ日本人の僕の話も熱心に聞いてくれた。

それで意気投合して、イスタンブールにあるインドネシア料理屋にふたりで食事に行きました。彼はパキスタン系の人間なので、スパイスの効いてないトルコ料理はあまり好みじゃないだろうなと思って、辛いスパイス系の料理を出す店に連れていったら、むちゃくちゃ喜んでいましたね。そこで食べながら、いろんなことを話しました。

彼と話してあらためて感動したのが、彼にとってカラチだろうと、イギリスだろうと、シリアだろうと、国境は関係ないんだなということ。どこに行っても求められる人間がいて、求められればどこにでも行く。それが本来のイスラーム学者の在り方だなと思いましたね。

ガジアンテップもハタイもそうですが、世界地図を見ると国境線が描いてある。現実世界では別に線が引いてあったり、ブロックが積まれたりしているわけでもない。でもそこには厳然と見えない国境線が存在するわけです。でも古典教育を受けた本物のイスラーム学者というのは、そんな国境線には目もくれず、やすやすと移動していって交流ができるんですね。それを彼との出会いで心から実感できた気がします。「メタル　ギア　ソリッド3」っていうゲームで主人公の師匠が宇宙から地球を見たときに国境など何もなかった、というシーンがあるんですが、まさにそれです。

中田　そもそもイスラームには、国境概念がないですからね。

存在する見えざる「帝国」

中田　この前、クルド系の人たちが、タリバンを訪問したというニュースを聞きましたが、どんな目的で行ったのか、知っていますか？

山本　アフガニスタンのタリバン政権を訪問したナクシュバンディー教団の使節団がいたというのは聞きました。トルコはそれについては公式に認知もしていないし。

多分あれはトルコのナクシュバンディー教団の中でも最大派閥と言われている派閥です。なぜ最大なのかといえば、とにかく来るもの拒まず系のタリーカ（スーフィズムの教団、共同体）で、飯を食うのに困ったらその教団に助けを求めに行けということわざがあるぐらい、最後のセーフティーネットとして機能しているんです。

タリーカにはいろんな種類があって、例えば別のグループだと、エルドアンとエルバカンが師事したザーヒド・コトクは、イスケンデル・パシャグループというスーフィー教団の流派で、このタリーカは基本的にエリートです。大学生を中心に読書会などで広まっていきました。一方、このグループは貧しい人や弱者をすくい上げ、最後の最後で助ける。その意味で寛容ですごく視野が広いので、最大勢力としてどんどん広がっているんです。シリアにも似たような教団があったのですが、内戦をきっかけにトルコに移住してきた。そこでトルコの教団と合体して、どんどん膨らんでいくという形になっています。

でも、シリアから完全に移動したわけではなく、シリアともトルコともイラクとも、クルド人の血縁関係のネットワークでつながって、今それがアフガニスタンにも届いている。

そういうネットワークの実態を見ると、帝国の復興をめざすというよりは、スーフィー教団から見れば、帝国は今でもあるということなのだと思うんです。それを彼らは見えざる大学と表現しています。ここでの大学とは学び舎《まなや》という意味です。古典教育とスーフィー教団の修行を共有する人たちには、目には見えなくなったけれども今でも学び舎というものがあるのだという意味です。

僕の会ったパキスタン系イギリス人のイスラーム学者も、あるいはエルバカンやその大師匠のザーヒド・コトク、そしてシリア北部にいる人々にとっては、どこかでまだ同じ帝国の中で生きているという肌感覚があるはずです。そういった意識はつながっていて、物理的な距離や国境はないのだと思う。イギリスからハタイに行くのも、実際はパスポートを使って飛行機で海外に行くわけですが、彼の移動感覚は多分近所に出かけるくらいなんですよ。今の日本でいうと、大阪に住んでいる人が西宮に困っている人がいるのでちょっと電車乗って助けに行こうぐらいの感覚なんだと思います。

僕は一五年ぐらいそういう環境にいるのでけっこう慣れてきているんですが、日本にそれに相当するようなコミュニティがあるんでしょうか。

中田　ないでしょうね。

山本　例えば、日系二世の子どもたちがいるベトナムで四書五経教育が廃れかけようとしていると、このままではその二世たちが正しい漢文が使えなくなってしまうと、北海道の人が気づく。それは日本の未来のためによろしくないと、その人がわざわざベトナムまで行って寺子屋を建て、そこで漢文教育を教えるということがはたしてありうるのか。ベトナムで日本人が困っていると聞いても、多分日本人は全然気にしないのじゃないでしょうか。

中田　まったく想像できない。

内田　ないですね。

中田　儒教的なものも消えてしまったので、それに変わるものもないですね。新興宗教の一部に若干ありますが、その場合も基になる古典がないので、教養や学知として広がらず、イスラームのようなネットワークにはなりません。カトリックの場合は国境を越えたネットワークがありますので、日本人に説明するにはイスラーム世界もそれに近いものがあるとしか言いようがないと思います。

山本　カトリックの人は、日本人でもラテン語で会話できるんですか。

中田　ほんとうに上の人間だけですね。そもそも今は日曜のミサの典礼でもラテン語を使っていない。全部現地語になっています。

イスラームに通じるロシアの苦境

中田　キリスト教の場合、今はもうヨーロッパでもラテン語、ギリシャ語の教育がどんどん重要視されなくなっていますので、若い世代は全然できませんからね。それを考えると、もうイスラームだけかと思いますが、違う意味でそれをやろうとしているのが中国です。中国語教育を今、アフリカまで広めていますからね。

内田　孔子学院をアフリカでは六〇以上もつくっていますね。

中田　そうです。孔子学院をつくって、古典の復興に力を入れている。本国でも若い人たちの漢文教育に力を入れて、古典の漢文を書けなくても読めるレベルにまで上げてきています。それをやって近代国家から中華民族の国家に変わろうとしているので、おそらく今後は中国文明とイスラーム文明が中心になってくる。ロシアに関しては、今一生懸命プーチンがやっていますが、基になる東方正教（オーソドックス）の教育がないので、文明としての復興には無理があると思います。

私的には、インドもムガール帝国の復興というイスラーム的な方に回帰していくんじゃないかと予想しています。これは私の希望でもありますが、ユーラシアはそういう動きになっていく。特にイスラーム教徒は数が多く、人口の増加率が高いですからね。インドも今、中国を抜きつつありますが、イスラーム教徒はもっと人口が増えて、私が若い頃の倍ぐらいになっています。バングラデシュもパキスタンも、どちらもおよそ二億人いますから、これからそういう人々が全部つながってくる。それにシーア派のイランがどう絡んでくるのか。

今、イランとロシアとトルコ、そしてタリバンのアフガニスタンとの関係がどんどん強まっていて、この辺りはレアアースなどの鉱物資源もあって地政学的にも重要ですし、ユーラシアの中心となりつつある。今、そのユーラシアから撤退しようとしているアメリカとの戦いの主戦場となっているのがロシアとウクライナであるというのが私の理解なのですが、残念ながらそういう見方をしている人はほとんどいないですね。

日本は一応自由主義陣営に属していますので当たり前ですが、あまりにもウクライナ側に肩入れし過ぎています。ウクライナ側、つまり西洋の視点で見過ぎている。去年のクリスマス休戦にしてもそうですが、正教の場合も完全にオーソドックスチャーチに準じている。実はイスラーム世界のキリスト教はほぼ東方キリスト教なので、クリスマスは一月六日なんですよ。なので、旧暦というか、グレゴリオ暦じゃないんですね。ですから今、西洋のクリスマスを祝わないのはロシアとセルビアだけなんです。

ほかは全部もう西洋の資本主義、商業主義が入っていて、最近の日本のハロウィーンみたいな感じで、ニューイヤーを祝うサンタクロース的な格好をしていても、実はジェド・マロースという「雪の精」でサンタクロースじゃない。でも西洋的なクリスマス感を出しているんですよ。

山本　トルコも同じですよ。トルコもサンタではなく、新年を祝うために一年のうちに一日だけどこからか現れるおじさんです。

中田　そういう状況が、プーチンの言う西洋の侵略なんですね。日本にいると、クリスマスもお祝いすればいいじゃないかという感覚ですが、オーソドックス（正教）的に見ると、大体一〇〇〇年ぐらい前からオーソドックスチャーチとカトリックの力関係が徐々に逆転してきて、オーソドックスはそれからずっと負け続けている。特に一四五三年にイスタンブールが落ちてから後は、オーソドックス側では力を持っている国がロシアしかなくなってしまった。ウクライナも何度もポーランドなどに占領されていますので、半分ぐらいもうカトリックになっているんです。

イスタンブール自体、トルコに攻められる前にカトリックの十字軍に攻められて潰されていますから、そういう意味でも恨みが重なっている。このまま行くと正教の教えが滅びてしまうという危機感のあるところに、ローマ教皇がクリスマス休戦を大々的に訴えてきたわけですから、これはロシアにとっては挑発でしかない。ロシアにとってはクリスマスじゃないわけですから。

でも、西側の人々は、ロシア側がクリスマス休戦を拒否するのは非寛容だと非難するわけです。宗教の論理は、世俗の論理とは違うんですよ。プーチンのやっていることはとんでもないことに見えますが、宗教の論理で考えるとロシアの方が筋が通っている。

私は正教徒ではありませんので、細かいことに関しては賛成しないんですが、正教を守ろう、今やらないともうここが最後だというロシアの苦境はよく理解できます。でも、実際戦ってみると、ロシアは弱いわけです。核兵器以外で勝てるものは何もない。このまま行くとどんどんじり貧になってしまう、だから「国体」を守るためには今ここで乾坤一擲《けんこんいってき》でやるしかない、という意識だと思います。ちょうどＡＢＣＤ包囲網によって大日本帝国の国体が危機に陥っているると言って、やぶれかぶれで大東亜戦争に突入した日本のような感じです。それが今のロシアの状況です。

イスラーム世界もずっとそうです。クリスマスっぽい催しをやったりして、西側の商業主義に毒されて、本来の姿を失いつつある。

山本　世俗派は祝っていますね。最近では、保守派の地域でもデコレーションするようになってきています。

中田　そうでしょう、そうでしょう。

山本　今、イスタンブールは、ヨーロッパ側とアジア側に分かれていて、ヨーロッパ側はファーティヒというシリア難民が多い地区と、僕が住んでいるウスキュダル地区が二大イスラーム保守派の地域なんですが、去年の一二月にウスキュダルに、「あなたはムスリムです」「クリスマスと新年を祝うな」「ノーサンタクロース」というチラシがありました。ああいうものを初めて見ました。チラシがあったからってクリスマスを祝いたい人が思いとどまるとは思えませんが、危機感がある人もいるということですね。

中田　多分そうでしょうね。一〇年前なんて日本じゃハロウィーンなんてなかったでしょう。それがいつの間にか騒ぐようになって。これも商業主義です。宗教の論理など微塵《みじん》もないし、誰もあれを宗教だと思ってない。実際宗教じゃないし、そういう形で入ってくる。

ところが、宗教の文脈で見ている人たちにとっては、それは宗教侵略にしか見えない。そういう現象が世界的に進んでいるんです。そして侵略された方の危機感に、西洋の方は気づいていない。それが問題なんです。ロシアもそうだし、おそらく中国もそうなんじゃないかと思います。

「宗教」とは西洋的な価値観なのか

内田　中国の宗教性って何でしょう。

中田　中国の場合、西欧的な宗教ではないですけど、儒教と道教ですよね。イスラームも入っていますが、数的に弱かったので、それほど大きくはなれない。結局は儒教と道教に帰って、孔子学院を通じて広めているんですね。

内田　儒教というのは宗教なんですか。

中田　儒教は宗教とは今はみなされていません。日本もそうですが、そもそも宗教という概念自体が西洋から入ったものなので。

内田　儒学と言っていましたからね。宗教という言葉自体はいつ日本語の語彙に入ったんでしょう。明治以降ですか。

中田　明治以降です。キリスト教はしばらく明治維新の後にも禁令がありましたけど、結局、キリスト教を認めないと不平等条約を廃棄できないですからね。そこで初めて宗教をどうするかという議論になった。日本の神道は宗教じゃないわけですね。国家神道を宗教と言ってしまうと、西洋的な意味で信教の自由がなくなってしまいますから。そして儒教も宗教ではない。結局、宗教としては仏教だけが残る。そこで神仏分離が行われて、その動きの中で長年仏教の圧力に苦しんできた人たちによって廃仏毀釈運動が起こる。そういう流れですが、ともあれ、日本が初めて宗教というものに向き合うのは明治以降ということです。

内田　一神教の国々と違って日本は国民的な意味でのカノンを持たない国ですから、宗教的感受性はあっても、宗教意識は薄いので仕方ないのですが、いろいろお話を聞いていると、宗教という補助線を入れないと世界の情勢、地政学的な情勢は読めてこないというのはおふたりのご指摘される通りだと思います。いくつかの宗教圏があって、その宗教圏と政治的な圏が重なっていると考えると出来事の解像度が上がる。問題は、西側圏は、ほぼ宗教という枠組みでは捉えていないことです。僕は「フォーリン・アフェアーズ・リポート」を購読しているのですけれども、宗教がトピックになることはほとんどありません。プーチンや習近平やエルドアンの世界戦略については論じられますけれども、彼らの政治思想と宗教との関わりを論じた記事というのは僕は読んだ記憶がありません。特にロシアについて論じているときに、ロシア正教の重要性を指摘したものはないんじゃないかな。

中田　そうだと思います。そういう宗教的論理が欠落しているんですよ。ひたすら西洋的な価値観で状況を分析しているだけです。

内田　それはアメリカ人自身が自分たちの政治判断には宗教的な要素が入り込んでいない、入り込むべきではないという前提を採用しているからかもしれないです。実際には福音主義が強い影響を及ぼしているにもかかわらず、国内政治について語るときも、誰もキリスト教の影響には触れない。自分たちの政治に浸透している宗教性にまったく無自覚なアメリカ人が他国の政治を見る場合には、そこにある政治と宗教の関わりは構造的に見落とされるのかもしれません。どちらもが政治と宗教の深い関わりを認める人たちであれば、話は嚙《か》み合うのかもしれませんけれども、ここまで意識が違うと話が通じない。中田先生は西欧型の価値観は一種の宗教であるとお考えですか。

中田　と言いますか、西洋の価値観の中でこれが宗教であると決めつけている。そこが問題なのです。例えば服装にしても、どんな服を着ようがそれは私的なことで、宗教には関係ない、自由の領域であると考える。ところが、宗教には服装コードというものがふつうにあるわけです。そのコードに従うことも信仰心の表明なのですね。でも西洋では信仰心というものは、心の中の問題であって、そんな決め事は無意味だという。つまり、無宗教の人間も、宗教を持つ人間も西洋では共有されていて、それが自分たちの唯一の文明であり、正義だと提示している。やはりこれはおかしいでしょう。

内田　無宗教、無神論者も含めて、この文化圏を統合しているものとは、イデオロギーなのか、それとも、一種の宗教と言っていいんでしょうか。

中田　それは文明だと思います。文明の中に宗教というものが入っている。しかし、私は個人的な宗教観としては、イスラーム教やキリスト教、ユダヤ教、あるいは仏教と、それぞれを区別をするのは意味がないと思っています。なぜかと言えば、今の宗教は、国家崇拝と金の崇拝でしかない。それぞれの宗教はただの名前で、今やすべてファッションでしかないというふうに私自身は思っていますので。

それは別として、文明としては自分たちはイスラーム教徒であると自覚しております。これは宗教というよりむしろ伝統に近いものです。勉強をして叡智を磨いて伝統を守っていこうという世界観なので、必ずしも宗教じゃないわけです。ふつうはそんな勉強をしていない人の方が圧倒的に多くて、イスラームの学問ネットワークは残っていますが、数としては内田先生の言う旦那芸まで含めても一〇〇人にひとりいるかいないかでしょう。

山本　でも、人口比で一〇〇人にひとりというと相当な数ですよ。

中田　中国は人口が多いですから一〇〇人にひとりでも数千万人はいます。イスラーム教徒は自分たちの宗教は大切だと思っている。それほど深い理解ではなくても、それは歴史につながっていますし、死後の世界、過去の先祖ともつながっている。そう思っている人たちがたくさんいる。それは伝統を持つ文明の中で無意識に彼らに刷り込まれているものです。だから、中国の共産党教育では、イスラームの人たちに豚を食べさせて再教育したりするわけです。ほんとうは教義的には強制された場合は豚を食べてもまったくかまわないのです。けれども豚の禁忌が宗教のアイデンティティになっている以上、信仰を持つ人は非常に抵抗を感じる。これは文明とその世界観の問題であり、無意識のものなので理解することが難しいとは思います。ですが、難しいとはいえ、いつも感じることですが、アメリカ人はあまりにそのことへの理解力に欠けていますね。

世界にはさまざまな文化圏があり、文明の衝突も起きています。でも、ヨーロッパもイスラームも中国も、どの文明が正しいということはありません。それは、少なくとも論破できるようなものでない。そのことを理解した上で、共存の道を探るしかないと思います。まず人のことには口を出さないとか（笑）。

山本　そういう謙虚さは最近まったく見られません。

中田　まあそこが欧米の普遍主義の問題点なのですね。欧米的な価値観を押し付けておきながら、いざアフガニスタンやトルコの人が「私の国は、宗教がうるさくて嫌なんだ。だから、あなたの国に入れてくれ」と言っても、自分のところには入れないわけです。なぜ入れないのか。そうやって移民をすべて受け入れたら貧しくなるからです。それ以外に何の理由もない。

山本　オックスフォード大や、ケンブリッジ大、コロンビア大とかの無料のオンライン講座とか、現地で受ける夏季集中講座って多いじゃないですか。トルコでは夏にアメリカやイギリスから有名な先生たちを招待して特別プログラムを組んだりします。ケンブリッジやコロンビアで教えている授業をトルコでも受けられますよということですが、実際の授業とは全然レベルが違う。あれはまったくの偽善だと僕は思っています。何十万円というお金を取って、現地で短期の授業体験をさせたり、あるいは夏の間だけ学生寮に泊まって暮らせるような体験をさせて、終わった後、じゃあねとすぐ帰す。ビザなしでは長期滞在できないから、学生も帰るしかないんですが、あれは国民国家と大学の組んだ、すごく嫌なシステムだと思っています。

それは、本物のコロンビア大学生とあのオンラインだけ受けられる大学生とでは等級が決まっているということじゃないですか。少しでもヨーロッパやアメリカの授業を受ける気分を感じたいという学生たちの思いを利用して金儲《かねもう》けをしている。例えば、トルコでも毎年夏に有名な大学から教授を呼んで、三〇分とか一時間とか、ほんの少しだけ授業をして学べる感じを出すわけですが、欧米の教員から見ればおいしい商売です。航空券もホテル代も出してもらって、少し学生の前で話せば残りはトルコでバカンスができるわけですから。でも学生たちには夢だけ見させて、現状は何も変わらない。

ムスリム圏には発展途上国が多いので、そういう欧米の上から目線的やり方を見ると、すごく嫌だし不気味だなと思う。マドラサではなく、ふつうの大学で勉強している博士課程の人たちは、アメリカから来る有名教授の講義を目を輝かせて聞いていますが、結局、彼らはその仲間に入れるわけでもない。今先生が言ったように、自分のところには入れないけど、自分たちの教育は受けてねという欺瞞《ぎまん》じゃないですか。そしてそのような制度を受け入れているムスリム社会の現状も悲しいですね。

中田　国民国家と文明が結びつくとそうなりがちです。だからヨーロッパは非常に差別的なのです。イスラーム世界はもともとモビリティが高くて、実際、七世紀から八世紀にかけてのアラブの大征服では遠征した先に定住するんです。故郷には帰ってこない。ところがヨーロッパはみんな帰ってくる。イギリスの植民地に行っても、フランスの植民地に行っても、その地に同化はしない。フランスは同化政策をやろうとしてモスクに火をつけたりしましたが、結局失敗して、みんな帰ってしまいました。今、アフリカにはたくさんのフランスの旧植民地がありますが、彼らはフランス人になれるわけでもなく、搾取されたあげく放り出されたわけですね。西欧キリスト教文明のやり方は、昔から変わっていません。

パスポートに見る人種差別

山本　中田先生はパスポートをどうお考えですか。

中田　私は欲しくないけれども、若い人は利用すればいいんじゃないですか。

山本　日本人はいろんな国に行けるので、あまり不便さを感じませんが、大学で日本以外の国の人のパスポートを見ると、えっ？　という感じになります。行ける国がものすごく制限されているんです。トルコ人は簡単にアメリカにも行けない。

中田　アメリカにも行けないんですか？

山本　事前に入国ビザが必要です。ＥＵも制限されていますし、トルコから入ってこないように最近もまた規制が強まったと聞いています。そういうマインドが僕はすごく気になるんです。人権とか、人類はみな平等という思想を持っていながら、なぜあんなパスポート規制をつくれるのか。そのマインドって階級意識そのものじゃないですか。

中田　その通りです。

山本　『乙嫁《おとよめ》語り』（KADOKAWA。「乙嫁語り」とはマンガ家・森薫《かおる》による、一九世紀半ばの中央アジアに暮らす遊牧民と定住民の暮らしを、それぞれの乙嫁＝美しい嫁の語りを軸に、オムニバス形式で描く長編作品）というマンガ、先生は読まれました？

中田　全部読みましたよ。

山本　一九世紀ぐらいかな、ロシア侵攻が始まる少し前の中央アジアのムスリムの生活を描いたマンガですが、イギリス人の旅行家が中央アジアのムスリムの村から村を移動しながら乙嫁に話を聞いていくわけです。あるとき、その旅行家が別の村に移動したときに、こいつは何者だと疑われるシーンがある。そこで彼は前の村の身元引受人の人間が書いてくれた証書を見せるんですね。何々家はこの人の安全を保証するという証書で、これはイスラーム法上のアマーナ＝安全保障証書なわけです。国民国家においてパスポートは国が発行するものですが、イスラーム法では、ムスリム個人ですよね。

中田　そうそう、ムスリム個人が出す。

山本　ムスリム個人がアマーナ＝安全保障証書を出すことができる。そのアマーナで安全保障を受けた人間のことをムスタミン＝安全保障民と言いますが、ダール・ル・イスラームというイスラーム法で統治されている国であれば、異教徒であってもそれでどこにでも行けるんです。カリフ制が崩壊する前まではみんな、このアマーナが出せたわけですよね。もちろんムスリムであれば、そんな証書がなくても移動は自由です。でも、例えば今の世界ではムスリムであっても、パキスタンやサウジアラビアにはパスポートなしには入れません。

中田 そう、行けない。サウジアラビアはまだですが、ＵＡＥ（アラブ首長国連邦）がイスラエルと国交を結んだので、イスラエルの人たちは自由に行けるようになったんです。それをムスリムたちが騒いでいますが、それは別にいい。問題は、イスラーム教徒のスーダン人やソマリア人たちが自由にＵＡＥに入れないことです。それを誰も問題にしない。別にユダヤ人を入れてもかまわないですが、なぜ同胞を排除するのか。本来イスラームでやるべきことをまったくやっていない。全部逆、逆になっているんですね。

＊追記　二〇二三年一一月六日現在

二〇二三年一〇月七日に、パレスチナのガザ地区を実効支配するハマスの戦闘員がイスラエルに越境攻撃したこととその後、それに対するイスラエル軍の多くのパレスチナ市民を巻き込んだ「テロリストとの戦い」と称する苛烈な報復攻撃で一躍世界の注目を浴びることになったガザ。ここは、中東関係者の間では、「空の見える監獄」「天井のない監獄」と呼び慣らわされている有名な場所でした。

ガザ地区はパレスチナの領土で、イスラエル、エジプト、地中海に挟まれた全長約四一キロ、幅一〇キロ、三六五平方キロメートルほどの面積です。二〇二三年の統計によればここに約二二二万人が暮らしており、世界で最も人口密度が高い地域の一つでもあります。しかし、制空権と制海権はイスラエルが握っており、イスラエルが検問所で人間と物資の往来を制限しています。ちなみに制限をしているのはイスラエルだけではありません。同じアラブの国であるはずのエジプトも同じようにガザ地区との国境で出入りを管理しているのです。人口密集地でもあるために国境が封鎖されていて、ガザ地区の住民の約八割が国際支援を頼りに生活しており、約一〇〇万人が国際的食糧支援を必要としていると言われています。今般のイスラエル軍の攻撃で、その数はさらにふくれ上がっていることは明白でしょう。

現行の覇権秩序である領域国民国家システムを正当化するイデオロギー操作にすっかり洗脳されていると、せいぜい「イスラエルという国はひどいことをするなぁ」「なるほど、これは〝アパルトヘイト〟だ。イスラエルを作ったユダヤ人の〝シオニスト〟がレイシストだっていうのはこういうことか」ぐらいの感想を抱いて、うっかり問題の本質を見過ごしてしまうと思います。歴史的には第一次世界大戦後の英仏の二重三重外交の結果、「帝国」のゆるやかな統治下、多様な民族、宗教が共存していたこの地に引かれた国境線と、焚きつけられた民族意識、ナショナリズムが現在の惨劇の原因です。つまり、「天井のない監獄」という言葉は、ガザだけでなく、実は領域国民国家自体の適切な比喩となっているのです。

国境があることによって同胞が差別される。このことが一番大きな問題だと私は思っています。今、差別については、世界的にことのほかうるさいわけです。でも国の差別に関してはまったく取り上げません。これは、完全に人為的なものですよ。まずここから変えていくべきだと私はずっと言い続けているんです。

内田　ほんとうにそうですね。都合の悪いところは黙る。

中田　そう、黙る。見ないふりをする。ほかのところでは整合的に西洋は自由で、多元的で、多様性を重んじていると言えても、移民や難民に関しては、そう主張できない。ヨーロッパもどんどん人を受け入れなくなって、この状況はしばらくは続くと思う。でも、日本と同じで若年労働者層、若年層がいないので経済的に持たなくなって、そのうち受け入れざるをえなくなるとは思いますが。

内田　僕は国境線を越えて自由に往き来するということについてはいささか両義的な態度なんです。実はまことに矛盾した話ですけれども、「国家崇拝と金崇拝の国」日本でも、国境線を越えて自由に移動できる「機動性の高さ」がエリートの条件としてありがたがられているということがあるからです。海外で育ち、海外で学位を取り、海外とのビジネスネットワークを持ち、海外に生活拠点を持つ人たち、「日本が滅びてもオレは特に困らない」という人が日本社会の指導層を形成している。「世界のどこでも生きていける人（Anywherer）」と「日本列島から出たら暮らせない人（Somewherer）」が日本ではきれいに階層上下に切り分けられていて、「どこでも生きていける人」が日本の政治経済から医療教育にいたる基本政策を決定している。その結果、日本の残り少ない資源が「どこでも生きていける人」に集中的・排他的に蓄積して、「日本から出られない人」たちはますます窮乏するという倒錯的な事態が起きています。

　ですから実際に「これからのエリートは中等教育から海外に出なければ話にならない」というようなことを豪語する人がメディアにもいくらでもいますが、彼らは日本の学校教育の質を高めるということにはもうまったく関心がない。当然ですよね。「日本の学校教育はろくでもないから自分の子どもは通わせない」という英断を下したわけですから、その判断の正しさを維持しようと思えば、「日本の学校教育をダメにする」政策につい親和的になる。日本の学校教育がV字回復して、子どもたちがいきいきと学校に通うようになったら、自分の選択は間違っていたことになるから、何としてもそのような未来の到来は阻止しなければならない。

機動性の高い人たちは日本社会のすべての制度が「ろくでもないもの」であることから受益する立場にいるわけですから、自分たちが指導的地位にありながら、秘かに日本の全制度の劣化を願うようになる。これは無意識のレベルで起きることですから本人にも止めようがない。今日本で起きているのは、まさにそういうことだと僕は思います。

僕は「愛国者」というポジションにとどまることを選んだわけですけれども、それは「日本列島から出ない」という後ろ向きの構えのことではないんです。そうではなくて、日本の文物を守って、それを世界標準のものに高めたいということなんです。こちらからわざわざ海外に出て、向こうのルールに合わせたり、向こうの価値観に同化したりするのではなく、よそからそういう伝統や技芸を享受するために日本に多くの人が来るという状態をつくり出したいという積極的な生き方のことなんです。この構えについてなら、中田先生も山本先生もきっと賛成してくれると思うんですけど。

ムガール帝国イギリス領の未来

山本　近年イギリスの新生児で一番多い名前がムハンマドだそうです。

内田　へえ、そうなんですか。面白いですね。

山本　そうなんです。ジャックとかジョンソンとかいないんです。ムハンマドを筆頭に、つまり、ムスリムの子どもの方がマジョリティになる可能性があるわけです。イギリスでは二〇一八年クリスチャンが過半数を切って、無神論の方が多数派になっています。ですから、特定の宗教を信じているという中でマジョリティに今後なるのはムスリムだと言われています。この五〇年くらいでキリスト教の時代は終わって、そこから無神論とムスリムで国が分かれるという時代になりそうです。

中田　多分ムスリムを追放することは無理でしょうね。ただ、今の動きとしては国粋主義が強まっているので、しばらくの間はいろいろ摩擦が生じていくと思います。

山本　イギリスの新生児のムハンマドたちは、基本的にはパキスタンやインドからの移民がマジョリティの南アジア系ですよね。そう考えると、ネオ・ムガール帝国はもうすでにイギリスに生まれているのかもしれない。あそこは大英帝国ではなくて、実はムガール帝国の後継国家であった。ということは、ありえないですかね。

中田 もともと二重帝国だったからね（笑）。

山本 つまり、上に来る帝国が変わるという逆転現象が起きるということですか。

中田 そうそう。ムガール帝国イギリス領になる（笑）。

内田 それは実に面白い話ですね。

山本 ムガール帝国イギリス領とネオオスマンが共闘するという感じですか。

中田 そうね。可能性としては高くはないですが、そういう未来もありうると考えることで、見える風景が違ってくると思います。頭からありうる未来を拒否するのは、これから何が起きるのか世界の動向を考える上でも、思考停止を招くと思います。

内田 そうです。そういうシミュレーションはできるだけ大胆な方がいい。

山本 ムガール帝国イギリス領と聞いて、ふと思ったんですが、英語ってイスラームとは関係ない言語だと思いがちですけど、実はムスリムたちが一番使っている言語になりつつありますよね。最近イギリスによく行く機会があって、イギリスのムスリムたちと話すんですが、彼らは、英語はもはやイスラームの主要ランゲージになったと言っています。もちろんアラビア語という聖典言語は揺るぎませんが、イスラームを語るウルドゥー語、ペルシャ語、トルコ語と並ぶ言語として英語があるという。

彼らの中では、ムガール帝国イギリス領はありうる未来でもあるし、そこに住んでいる人たちにはもう実現していることなのかもしれない。それはかつてのイギリスの植民地政策が逆転したというような世界観ではなく、先ほど紹介したハタイに飛んだイギリスのイスラーム学者のように、イギリスの国民国家の枠組みの中ではなくて、もっと大きな世界観の中で動ける人たちが増えているということだと思うんです。

そういう世界観は目に見えないものですが、これからすごく重要になると思う。自分の中にそうしたOSをインストールしているか、そうでないかによって取れる選択肢の多さがまったく違ってくる。ムスリムたちが我々日本人と全然違うのは、そこですよね。ハタイの彼の場合、国の支援を受けているわけでもなく、道楽に費やせるお金持ちでもない。でも、目を見張るような行動力を持っている。自分の身体を動かせる範囲が日本人とは全然違うわけです。そういうものをクルド人にもトルコ人にも感じますね。だから、自分はまだ帝国に生きているという感覚を持っている人間の行動力をなめちゃいけないと思う。

中田　これから文明と帝国の再編の時代になってくるときに、日本も変わっていかないと未来はないでしょうね。日本人の持っている王道のリソースとして、漢字や東洋文化を活《い》かしていかないとね。儒教とイスラームはかなりのところが通底していて、実際、イスラーム教の漢文を読んでもほとんど我々には区別がつかないですから。

山本 全然区別がつかないです。惻隠《そくいん》の心とか三乗とか、イスラーム教の漢文でも儒教用語や仏教用語をそのまま使っていますからね。

内田 イスラーム教の漢文って、惻隠の心まで使うんですか。

山本 ええ、惻隠の心は、最終的な境地としての文脈で使われていた気がします。

内田 そうですか。「惻隠の心は仁の端なり」ですからね（笑）。

中田 おっしゃる通りです。漢文をはじめ、そうした東洋文化を日本が学び直すことで、中国との対話も可能になると思います。中国でのウイグル族迫害の問題にしても、人権無視とか全体主義とか、西洋的な価値観でけしからんというのではなく、我々東洋人は、「惻隠の心」であるとか、「仁にもとる」と考える方が自然なわけです。そこから対話すると、中国の態度も変わると思うんです。トルコの東アジア研究でも力を入れていますが、日本も一歩踏み出してアジアの連帯を考えるべきときが来ていると思います。

内田 日本人は東洋文化を学び直すべきだという中田先生のお考えに僕は全面的に賛成です。

中国大陸、朝鮮半島、日本列島を含む東アジアの文化的な「共有地」があると僕は思います。もう漢文をリンガフランカ（普遍言語）に仕立て直すことは難しいですけれども、それでもその東洋文化のアーカイブから、僕たちは豊かな滋養を汲《く》み出すことができる。日本人の宇宙観や価値観や美意識も、そのおおもとをたどると、その東洋文化の中に淵源《えんげん》を持っています。夏目漱石が英文学を学んだときに、その深さと広さに圧倒されても劣等感を感じることなく身を持していられたのは、深さにおいても広さにおいてもそれに劣らない漢文的世界の中で彼自身の知性と感性の体幹がすでに形成されていたからです。そういう人は中国にも韓国にも台湾にもいると思うんです。その人たちと協力して、国民国家の枠組みを超えた東アジア文化圏を知性と感情の「共有地」として再構築できたらいいな、と思います。

コラム　エルドアンの勝利

中田　考

大統領選挙におけるエルドアンの勝利の要因は、選挙戦術的には二〇二二年一二月一四日、司法府が最大野党共和人民党（CHP）所属で若者に人気のあるエクレム・イマムオール・イスタンブール市長（五二歳）に対して「選挙管理委員を侮辱した罪」で、懲役二年七カ月一五日の禁固刑及び同市長の政治活動を禁止する判決を下したことが大きかったと思います。この判決は無理筋とみなされており、イマムオールはただちに破棄院に控訴し、引き続き市長の職務を続けていたので、棄却される可能性が高いとみなされていました。しかしその結果は不透明だったため、政治活動を禁止される可能性がある人物を野党は統一候補に立てることができず、この判決で事実上イマムオールは大統領候補レースから脱落したのです。

最大のライバルを潰すために、なりふりかまわずこじつけのような容疑でイマムオールを罪に陥れたこの判決には、エルドアンのコアな支持者の間でさえ眉を顰《ひそ》める者が多くいました。しかし結果論になりますが、これによって野党は候補者の一本化で揉《も》め、最終的にカリスマ性も、行政手腕も、政治理念もない共和人民党党首で老齢のクルチダルオール（七四歳）を統一候補に選び、その後もエルドアン降ろし以外にまったく共通の政策プログラムのない呉越同舟の野党連合は迷走、オウンゴールの失策を続け自滅することになりました。

日本ではトルコに関しては、欧米寄りのメディアのバイアスがかかった情報しか入ってこないので知られていませんが、トルコ社会は共和国建国以来、欧化主義者と伝統主義者に極端に両極化しており、政党は乱立していても、選挙では欧化主義連合と伝統主義連合の対決になるのが常で、しかも両陣営ともに四〇パーセントほどが岩盤支持者層で拮抗《きっこう》しており、選挙の結果はどちらがイスタンブール、アンカラ、イズミールなどの大都市の浮動票を獲得できるかにかかっていました。特に若年層が多いトルコでは、長年のエルドアン支配の下で閉塞感があり、不満を抱いた若者の浮動票を野党陣営が取り込めるか否かが最大の焦点であったので、若者に人気があったイマムオールが脱落し、新味のない老政治家クルチダルオールが統一候補になった時点ですでに勝負は決していたのだと思います。

グローバルな政治の動きの中では、アメリカのユーラシアにおける覇権の衰退によって、清朝（中国帝国）、ロマノフ朝（ロシア帝国）、ムガール朝（インド帝国）、サファヴィー朝（ペルシャ）とオスマン朝（トルコ）という五つの帝国の復権と文明圏の再編の流れがエルドアン大統領の再選によって加速化されることが予想されます。これらの五つの帝国はグローバル・サウスの中核ではありますが、そのうちの三つまでがイスラーム文明のサブ文明です。この三つのイスラーム帝国の復権を纏《まと》め上げることができるかで、次の任期のエルドアン大統領の鼎《かなえ》の軽重が問われることになるでしょう。

私見ではムガール朝インド帝国の現代における継承国はアフガニスタン・イスラーム主教国（タリバン政権）です。そしてハナフィー法学派の学問ネットワークを支持基盤とするネオ・オスマン帝国（エルドアン政権）とネオ・ムガール帝国（タリバン政権）のイスラーム世界統一に向けての共闘が成功するか否かが、ユーラシアにおける新たなより公正な勢力均衡による安定した秩序構築の鍵を握っていると考えています。

またアメリカを見限りグローバル・サウスの一角として中東イスラーム地域統合に舵《かじ》を切ったアラブ世界においてトルコのエルドアン政権は従来からのカタールとの枢軸を基盤にＵＡＥ、サウジアラビアとの関係を修復することでのプレゼンスを回復しています。そして日本では専門家を除いてまだほとんど注目されていませんが、トルコ・エルドアン政権はアフリカにおいて、米仏に代わる影響力拡大を中露と競っています。

つまりトルコ・エルドアン政権は、文明史的・地政学的に仲裁者の立場を取りうる唯一の地域大国として、先の見えないロシア・ウクライナ戦争のソフトランディングのシナリオの要であることにより、ユーラシアの秩序再編のエラン・ビタール（生命力）の体現者であるばかりでなく、欧米（と日本）とグローバル・サウスの競合の現代世界の構図の中でアフロ・ユーラシアの結節点としてきわめて重要な役割を果たすことになります。そしてそのことが表立って語られないこと自体が、領域国民国家システムによる構造的言論抑圧、歪曲《わいきょく》の所産なのですが、それについては別の機会に詳しく論じることができればと思います。

第六章
日本再生のために今からできること

内田樹

山本直輝と中田考

撮影＝三好妙心

失敗した日本の教育行政

――第四章でもご指摘の通り、日本の文化はやせ細るいっぽうで、それを日本政府が助長しているという情けない現状があります。これからの日本再生には何が必要なのか、あるいはもう再生などできないほど劣化してしまったのか。その辺りのご意見をお願いします。

山本　今の日本って、ほんとうに漢文とか古文研究をなくそうと言っているんですか。

内田　文科省はなくす気だと思います。そんな時間があったら英語やプログラムをやれ、と。

山本　そういう雰囲気ができているということではなく、文科省がなくそうと働きかけているんですか。

内田　そうです。もう大分前から漢文を入試に出題する大学はなくなるいっぽうですから。

山本　それは嘆かわしいです。日本に文系の学問をしたくて留学したいというトルコ人学生もたくさんいるんですよ。日本文学を学びたいとか、日本の社会学を勉強したいとか。でも、文部省（当時）がMEXTという国費留学生のシステムで募っていたのは、ほとんど理系です。『枕草子』を原語で読みたいとか、マンガオタクのトルコ人もたくさんいて、そういう授業を取りたいと思っても、そういう枠もないし、そもそも来られない。僕も博士課程に行ったのでよく分かるんですが、文系自体今お金が減っていて、じり貧だし、教授もほかのことで忙しくて教える暇もないし、これからどうなるんでしょう。

内田　日本の大学はこのままでは未来はないです。

中田　ないと思いますね。悪い言葉を遣うと呪いになってかかってくると言いますが、今の日本はどんなポジティブな言葉を遣っても、希望がないような気がしますね。

内田　呪いって実現しちゃうんですよ。少し前に前川喜平と寺脇研というふたりの元文科官僚とかなり長いことお話しして、鼎談本を二冊出したんですが、「日本の教育行政は失敗した」という僕の断定に対して、彼らのような批評的な知性でも、文科省の責任はなかなか認めようとしないんです。文科省が善意で行った施策を現場が誤解して、本来の意図とは違う事態になってしまった……そういう説明でしたね。

中田　官僚はそうなんですね。みんな分かっていてもできないというのが、まさに日本の空気と支配構造の恐ろしいところで。

内田　確かに文科省の苦しい立場も分かるんです。彼らのところには政治家と産業界からの「こういう人材を育成しろ」というすさまじいプレッシャーがかかるわけですから。政治家は「権力に従順な人間をつくれ」と言い、ビジネスマンは「どのような劣悪な雇用条件でもばりばり働く産業戦士をつくれ」と言う。そんな要求に従えるはずがない。文科省だって分かっている。でも、それを押し戻すだけの力がない。せいぜい、むちゃくちゃな要求を、なんとか大学が呑《の》み込める程度のものに希釈することしかできない。

中田　そういう忖度《そんたく》をまったくしないのが中東の人間なんです。だから日本で空気読めなくて行き場がなかった人間が中東に行くといきいきしていますよ。中東の場合、多民族、多宗教、多宗派なので、空気の読みようがない。それで、みんな勝手に自分の言いたいことを言うんです。

内田　誰も空気を読んでくれないんですね。

中田　そうなんです。トルコとか中東もみんな好きなこと言って、自分のことは自分で考える方式でやっているので、それで水が合う人間はほんとうに生きやすいと思いますよ。

内田　確かに中東研究者ってどなたも歯に衣着せない物言いしますね！

中田　基本的にポジショントークの世界なので、敵か味方で考える。それはあまりいいことでもないんですが、先ほど山本君が言っていた古典の殴り合いのようなことはよくあります（笑）。

山本　今、イスタンブールで翻訳家として暮らしている回族の友人がいるんです。その彼と一緒に、オスマン語、古いトルコ語の神秘主義史を漢文調の中国語に訳すという仕事を、半分遊び、半分真面目にやっているんです。オスマン語、古いトルコ語に関しては、トルコ人のエリート層にしか読めませんが、中国語の漢文調に訳せば、中国人や韓国人、日本人にも読めるはずですよね。そうすれば、中東の言語だけではなく、この東アジアの言語でもイスラームの美しさを表現できると、すごくやりがいを感じていたんです。

そのためのいろんな構想があって、オスマン朝のスーフィー史を中国語に訳して、日本の掛け軸に書いてみたい。やっぱりビジュアルは重要ですから。単に本を書いたり講演をしたりするのではなく、そういうインパクトのある見せ方で、新しい東アジア・イスラーム文化圏をつくっていきたい。そんな思いでやっているんですが、日本での漢文教育がなくなると、それを理解してくれる人もいなくなってしまいます。東アジアのリンガフランカ（普遍言語）がなくなるじゃないですか。

内田　そうなんです。それじゃ、困ります。

山本　どうするつもりなんでしょう。世界の文化圏と交流できる共通の遺産がなくなるということですよ。

内田　ショックなことに韓国もそうなんです。韓国は大分前に漢字を廃止してしまった。植民地統治のときに、日本政府が国民に韓国語とハングル文字の使用を禁止して、漢字の使用を強制したからです。そのせいで日本の敗戦で朝鮮が独立を回復した時点で、非識字率が非常に高かったんです。韓国の戦後の文教政策ではまず識字者の比率を上げることが最優先でしたから、漢字教育を廃して、ハングル教育にする政策が採択された。それでも新聞や書籍は漢字ハングル混じり文で書かれていたのですけれども、それもなくなって、もう今は韓国で漢字表記を見ることはまったくありません。だから、若い人は自分の名前ぐらいは漢字で書けるんですが、もうそれも書けない人もいる。李氏《りし》朝鮮でも、日本統治下でも、知識人は漢文を書いていたわけですから、今、韓国の人は、二世代前の祖先が書いたものだともう書籍も私信も読むことができなくなった。これは文化の継承の上では、かなり厳しいことだと思うんです。

ですから、僕は韓国の人に、漢字教育を復活した方がいい、自分たちの国の古典が読めなくなりますよと言うんですが、このアドバイスに対しては、反応がかなり否定的なんです。漢字教育復活を言うと、韓国語が禁止されて日本語習得を強要された過去のトラウマが甦《よみがえ》るみたいです。日本の植民地主義を嫌う気持ちはよく分かりますけれど、だからと言って漢字まで嫌うことはないと思うんです。朝鮮半島で二〇〇〇年もの間、使われてきた文字なんですから。

中田　韓国では内田先生の本もずいぶんたくさん訳されています。その読者の方もそうなんですか。

内田　僕の本を読んでいる方たちはそういうことは言わないんですけれども、聴衆の中から「ちょっと待ってくれ。あなたのその漢字復活論。それだけは絶対に受け入れられない」と声を張り上げる人がいます。大体おじさんですけど。

山本　トルコも似たような状況があります。ちゃんとした古典教育を受けている人はアラビア語が分かって、アラビア文字も読めるんですが、トルコ共和国になったときに、ラテン文字（ラテンアルファベット）を採用してアラビア文字を廃止したんです。今のトルコ語は全部ラテン文字で表記するんですが、純粋なトルコ語をつくろうとしてもそれはかなり無理がある。言語に純粋なものってないんですよ。純粋にすればするほど表現が貧相になるんです。

ラテンアルファベットしか知らないトルコ人は、自分たちの言語の歴史的深みを享受できないということになる。ラテンアルファベットを採用した利点として、ほかのヨーロッパ言語を学びやすいというフラットさはあっても、その代償として言語としての縦方向への深みがまったくなくなってしまった。だから、彼らは帝国的な世界観をまったくイメージできないんですね。そこはやっぱり古典の強さかなと思います。

そういう意味でも、先ほど中田先生もおっしゃっていましたが、文明を理解するためには宗教ではなく、まず伝統的な学問、その世界観を知ることが大事なんじゃないかと思う。宗教を知るためにはクルアーンという絶対的な真理があるけれども、これを理解するのは難しいし容易ではない。そこに少しでも近づくために古典というものがある。その古典教育がなくなると、自分のルーツも見えなくなり、対話する術もなくなると思うんです。

今、東アジアの古典教育も危機にさらされているという。これがなくなって、かつ国民国家の形が揺らいで帝国の再編が始まったときに、日本人は隣国と対話する言葉を持ちうるのでしょうか。歴史的な深みのない薄っぺらい日本人として帝国再編期の戦国時代に放り出される。そうなったらアイデンティティを保ちようがないと思います。

内田　そうですね。でも今の日本人にはそのような危機意識はほとんどないと思いますけど。

中田　アメリカも、どんどん劣化が進んでいるので、最近の映画とかドラマを観ていても、新しいものが全然ないですね。ポリティカル・コレクトネスとか、そんなものばかり入れていますが、結局、古いものをリメークしたようなものしかない。ハリウッドを擁するアメリカとして、世界に誇れるオリジナルなものをつくらなければという偏執的な願望ばかりが空回りして、かえって内容が薄く、お粗末なものになっている。

映画やドラマとしては、トルコのものもそれなりに広まっていますが、やはり東アジアのものが魅力的ですし、内容も深く、注目する人たちも増えています。これからはさらにその方向に進んでいくと思うんです。それはやはり伝統の違いです。中国は伝統的な題材でいくらでも書けるわけです。日本も韓国もそうです。アメリカにはそういう伝統がないので、物語も枯渇していくような気がしています。

劣化する物語の生成力

内田　物語には、民族的なアイデンティティを確認したり、強化するという効果が確かにあります。さっき山本さんが言った、縦方向への深みに入っていくためにはどうしても「国民の物語」が必要だと思います。どれぐらい深みのある「国民の物語」を構築できるかは、その国の存立に関わります。

でも、今、隣国の韓国と日本の物語生成力を比べてみると、もう圧倒的に韓国の方がすぐれている。ネットフリックスを観ていても、韓流ドラマと日本製作のドラマでは、量も、予算も、クオリティも桁が違ってしまっている。韓流ドラマは東アジアだけではなく、北米もヨーロッパもアフリカも中近東でも流通しています。日本のドラマで、海外市場で評価を受けているものはまず存在しない。ネットフリックス製作の場合、企画が面白ければ、いくらでも予算がつくはずなんです。日本のドラマが世界市場に流通しないのは、金がないからじゃなくて、そもそも企画がつまらないからだと思うんです。

特に気になるのが、近現代史に取材したドラマにおける日韓の格差です。李氏朝鮮末期から日韓併合、日本の敗戦までの時代を舞台にしてエンターテインメント作品に仕上げたものが韓流には実に多い。

山本　「ミスター・サンシャイン」（二〇一八年の韓国のテレビドラマ）、むちゃくちゃ面白かった。

中田　はい、面白かったですね。

内田　そうです。ほかにも日韓併合期のドラマって、たくさんつくられているんです。この時代は、韓国人にとっては歴史の暗部のはずなんです。李氏朝鮮末期は「勢道政治」の時代ですから、宮廷政治そのものが腐敗しているし、王族同士で殺し合っていた。日韓併合前だと祖国を裏切って、侵略者である日本の軍人や政治家に取り入った「買弁」や「売国奴《ばいこくど》」の徒輩が幅を利かせていた。そして、日韓併合から解放までは三五年間ありました。三五年ということは一世代丸ごと日本帝国の支配下にあったということです。政治家も官僚も学者もジャーナリストも全員が植民地支配の統治機構の一部に組み入れられていた。だから、この時代の韓国人エリートで「手が白い」という人はほとんどいません。そうである以上、日韓併合時代のことは確かにドラマにはしにくいだろうと思うんです。それでも、韓国のクリエイターたちは、なんとかその歴史の暗部をエンターテインメントに仕上げようとしている。ときどき明らかに時代考証が間違っているというところもありますけれど、とにかく必死になって自国の近現代史の暗部を白日の下にさらそうとしている姿勢に僕は敬意を抱きます。

それに対して、同時期の朝鮮半島の歴史に取材したドラマをつくろうとする日本のクリエイターはいません。僕の知る限り、ゼロです。朝鮮半島の政治に日本人が関与するようになったのは幕末の「征韓論」から始まって敗戦まで一〇〇年以上の歴史があります。その時代に日本人が何を考え、朝鮮半島で何をしてきたのか。それに日本のクリエイターは全然興味がないらしい。でも、そんなはずがないと思うんです。玄洋社の頭山満《とうやまみつる》、黒竜会の内田良平、天祐俠《てんゆうきょう》の鈴木天眼《てんがん》、『大東合邦論』の樽《たる》井《い》藤吉《とうきち》、「鳳《おおとり》の国」の権藤成卿《ごんどうせいきょう》。さらには宮崎滔天《とうてん》や福沢諭吉。朝鮮側なら金玉均《キムオッキュン》や全琫準《チョンボンジュン》。それだけでいくつも大河ドラマができそうな人物がこの時代にはひしめいている。この人たちが朝鮮半島で何をしようとしていたのか、どのような人間的交流があったのか、それを描いたら、巨大なドラマが書けるはずなんです。別に一作にまとめなくてもいい。焦点的な人物を替えながら、いくらでもドラマはつくれるはずなんです。でも、誰ひとりそんなシナリオを書く人間がいない、監督しようとする人間がいない。自国のある時期の政治についての物語がすっぽり抜け落ちているというのは異常です。明治から敗戦までの日本と朝鮮の関わりを歴史からのけてしまったまま戦後八〇年が過ぎた。今の日本が文化的に衰弱している理由の一つは、この自国史から目を背けている態度にあると僕は思っています。

司馬遼太郎のいわゆる「司馬史観」なるものがあります。日露戦争から敗戦までのおよそ四〇年間を「のけて」、まだ帝国主義国家になる以前の明治の日本と、戦後の民主日本を「つないで」、そこに日本の民族的な伝統の一貫性を見出そうとしたものです。日露戦争から敗戦までの四〇年間は本来の日本の在り方からの「逸脱」であって、あれは「ほんとうの日本」ではないという話です。「坂の上の雲」を見上げていた明治の青年国家から、中を飛ばして、戦後の民主日本に「飛ぶ」という司馬のアイディアに多くの日本人が飛びついた。

でも、そうやって「のけた」四〇年こそ日本が中国大陸、朝鮮半島ともっとも深い関わりを持っていた時期なんです。そこを「なかったこと」にしてしまったら、中国、朝鮮との関わりについて知る手がかりが失われてしまう。それがどんなに忌まわしい事実であったにせよ、事実は事実としてきちんと物語るべきなんです。都合の悪い歴史は「なかったこと」にすると、そこで歴史が途絶してしまう。そして、歴史から学ぶことを止めてしまうと、その国は精神的にしだいに衰え始める。ドイツもそうだし、フランスもそうなんです。

山本　トルコもそうですよ。トルコ共和国ができてから、オスマン帝国の歴史を国民に教えていなかった時代が長くありましたから。五〇〇年もあったオスマン帝国の歴史を「のけて」しまったわけです。

内田　え、なかったことにしたんですか。

山本　ええ、そうです。ヒッタイト文明、その後、諸氏トルコの群雄たち、そして一気にトルコ共和国に移るというような教育だったので。

内田　そうなんですか。トルコもそうなんだ。フランスの場合は、期間は短いですが、一九三九年から四四年まで、ナチス・ドイツの傀儡《かいらい》政権だったヴィシー政府のことをやはり「のけて」しまった。ヴィシー時代のことについては語らないということについてフランス人は暗黙の合意をしてしまった。そして、ドゴール将軍が率いる「自由フランス」こそが実はフランスの正統なる政府であり、それゆえ最初から最後までフランス人はナチズムと戦い続け、最終的に勝利したという「お話」に回収しようとした。

でも、そういうずるいことはしない方がいいんです。歴史についてうそをつくと、あとで祟《たた》るから。フランスが常に「手の白い」国であり、ナチスの非道に加担したことなどないという話を採用したことと、その後、五〇年代にフランス軍がベトナムやアルジェリアで非道な暴力を振るったこととの間には関係があると僕は思います。もし、終戦のときに、「フランスは国際社会に向けて謝罪しなければならないような罪を犯した」とはっきり認めていたら、もう少しフランスの軍人たちもその後、抑制的に行動するようになったんじゃないかと思うんです。「自分たちは一貫して正義の側にいた」というふうに話をつくったせいで、反省しない国民をつくり出してしまった。

それはドイツも同じです。東ドイツはナチスと戦って「勝った」戦勝国というのが建国時点の自己規定ですから、ナチスの所業について告発することはあっても、謝罪するいわれはありません。つまり、東西ドイツの統合によって、ドイツは「自分たちはナチスの所業について何の罪の意識も持っていない」と公言する人たちを人口の二〇パーセント含む国になってしまったわけです。この旧東ドイツ地域が今では排外主義的な極右の拠点になっているというのはだから当然だと思います。第三帝国の犯したジェノサイドに「疚《やま》しさ」を感じないドイツ人は、おのれの差別意識を抑制することができない。

どの国にも「恥ずべき過去」はあります。でも、それを認めるか認めないかで、それから後の国民たちの倫理的な緊張感は変わります。「疚しさ」を抱えて生きることは、辛いことですけれども、それが民族差別や排外主義の暴発を抑制してもいる。歴史修正主義者は、国民をこの「疚しさ」から解き放つことで、民族差別や排外主義といった暴力を解き放ってしまう。

欠落した物語を描けるのはマンガだけ

山本　その意味で『ゴールデンカムイ』（野田サトル、集英社）はすごくいいマンガでしたよね。

内田　そうですね。

山本　ストーリー自体は、隠された金塊をめぐって日本軍部とアイヌ民族がサバイバルバトルをするという、はちゃめちゃ感もありますが、ちゃんと日露戦争後の日本社会の時代考証もされていて、説得力があった。二〇一九年にあの大英博物館で大規模な「マンガ展」が開催されて、日本のレジェンドや人気マンガ家の作品が多数展示されて大成功を収めたんですが、『ゴールデンカムイ』は、その看板作品にもなったほどの人気マンガです。

物語は非常に挑戦的で反権威的で、それもいいですね。日露戦争の勝利をもてはやすような描写は一ミリもない。何より物語の中心に、日本のネイティブ民族であり、マイノリティとなっているアイヌ民族の少女をおいているのがいい。それは日本の「大きな歴史」への反抗ですよね。内田先生もおっしゃるように、国家によって歴史が語られるときは、常に政府による勝利の歴史ばかりが再生産されていきます。でも、そうした歴史観では、社会におけるマイノリティはどんどんマージナルな場へと追いやられる。けれども、このマンガの主人公のアイヌの少女はマージナルな存在でもなければ、被害者意識を持つ卑屈な人間でもない。アイヌ民族であることの誇りを忘れない独立的なアイデンティティを持っています。

その意味で、日本の近代化によるマイノリティへの迫害や軍部の暗い歴史などの「大きな歴史」が隠したがる事実を逃げずにちゃんと描きながら、マージナルな人間たちが活躍する『ゴールデンカムイ』の物語は、現代日本最高のサバルタン文学だと思います。

中田　あれは私もすごいと思った。

山本　反権威って特定の政府や政治家に対する批判だけではないですよね。今の社会に存在する政治的・社会的に構築された歴史観や支配的イデオロギーに対して批判をぶつけることもマンガの役割だと思う。近年において、そのもっとも素晴らしい成功例が『ゴールデンカムイ』なんじゃないかと思います。

内田　マンガは歴史を語る物語において、ほとんど唯一の希望ですね。映画やドラマだと、どうしても企画を通して、どこからかバジェットの都合をつけなければ始まらないけれども、マンガは極端な話、紙とペンだけあれば創作が可能です。描き始める時点で、マンガの製作コストってほぼゼロですからね。だから、いくらでも冒険できる。満洲のことも、映画やドラマにはできないスケールの話を、安彦良和《やすひこよしかず》さんが『虹色のトロツキー』（潮出版社）で描いています。満洲の建国大学の話というのは「五族協和」というスローガンがいかに虚《むな》しいものかをあばき出すわけですから、日本人にとっては触れたくない過去の話だと思いますけれども、安彦さんはマンガで描いた。ですから、朝鮮半島の近現代史、李氏朝鮮末期から日韓併合にいたる時代の物語を描く作家がどこかで出てくるかもしれません。

山本　ＢＢＣの『ピーキー・ブラインダーズ』というドラマも好きでした。第一次世界大戦後のイギリスのバーミンガムを拠点に活躍したギャング集団の物語なんですが、このドラマにもマージナルな人たちの視点が入っている。ロマの血縁ルーツを持つアイリッシュトラベラーの視点で、第一次世界大戦から第二次世界大戦に向かっていくイギリス社会の暗部が描かれていて、国家の物語とはまったく違う異彩を放っています。主演のキリアン・マーフィーもすごい好きで、ネットフリックスで何百回も観たぐらい大好きなドラマなんですが、これに相当する日本のドラマはまずないですね。日本がなかったことにしたいその時代を、マージナルな人たちの視点で語る物語として、やはり僕は、『ゴールデンカムイ』が筆頭だと思います。

内田　なるほどね。

山本　傷痍《しょうい》軍人であったり、あるいはアイヌであったり、そういう人たちを被害者として描くのではなく、その時代、その歴史をどう生き抜こうとしたかという主体性を基本としたクリエーティビティは日本のドラマと映画になかなか見られません。

内田　その時期の日朝関係を描いたものに『パチンコ（上・下）』（池田真紀子訳、文藝春秋、二〇二〇年。作者は、韓国系アメリカ人の作家・弁護士のミン・ジン・リー。一九一〇年から八九年まで、四世代の在日韓国人一家を描いたこの物語の中では、戦中・戦後の日本での在日コリアンの暮らしがいかに厳しく、日本人からの差別がどれほど激烈だったかが描かれる）という小説があります。

山本　はいはい、「パチンコ」もドラマで観ました。

内田　このドラマ、日本のメディアではほとんど言及されませんでした。僕は劇評を読んだ覚えがない。

山本　え、そうなんですか。トルコでは韓国研究の人はみんな観ていました。すごくよかったと言っていました。

内田　そうでしょう。僕も非常に面白く観ました。でも、周りの人に聞いてみたら、観ている人がほとんどいなかった。ネットフリックスでもアマゾンプライムビデオでもなく、アップル

TV＋という別の課金が必要な媒体だったことがネックだったのかもしれませんが、それにしても、「ニューヨークタイムズ」で二〇一七年のベスト10に選ばれたベストセラーのドラマ化で、それも日本が舞台で、登場人物が日本語で話すドラマなのに、日本のメディアがこれを黙殺したことは異常だと僕は思います。おそらく関東大震災での朝鮮人虐殺がドラマの中の一エピソードとして出てくることに、一般メディアが過剰な忖度をしたんじゃないかと思います。そういうドラマが評判になると、政権が嫌な顔をすることが分かっていますから。

でも、自分たちでそのような主題のドラマをつくれないのは仕方がないとして、他国の人がつくってくれた日本の歴史についての物語についてまで日本人が目を背けているさまを見ていると、病の深さを感じます。自国の歴史を直視できないで、これからどうやって日本社会をつくってゆくんです。

日本文化をどう発信するか

中田　これは私の仮説ですが、大日本帝国とははたして何だったかを考えると、実は中華文明圏における異民族王朝だったのではないかと考えることがあります。リンガフランカを日本語にした大アジアをめざす時代が実際にあったわけですが、当時の日本が独自の思想を持っていたかというとそうではない。基本的には中華文明圏の文脈の中で、五族協和とか八紘一宇《はっこういちう》とか、儒教的な語彙でしか語れないわけです。結局、その野望は失敗しましたが、失敗したなりの意味はあったんじゃないかと思うんです。今の中国共産党のやり方は間違っていますが、漢字文化も含めて中華文明圏から学び取ったことを、日本から世界に発信していくことが日本再生の最後のチャンスなんじゃないかという気がするんですが。

山本　何のチャンスですか。

中田　日本がある程度のイニシアチブを取れる……。

内田　いや、日本がイニシアチブを取るチャンスは僕はもうないと思いますけど。

中田　まあそうですね。でも、中国の動きに乗っかるという手もある。中国は今、全世界に孔子学院を展開させていますが、これには国家主義の色がついていて、問題がある。しかし孔子学院のネットワークは壮大なので、そこに同文同種の我々も加わって日本文化を広めていくという……。

内田　なるほど、ありものを使わせてもらうというわけですね。孔子学院の中に日本語学科をつくってもらうとか（笑）。

中田　そうそう。日本のつくったマンガも入れてくれと注文もつける。中国での日本マンガの人気はすごいですからね。そして、漢文は別にあなた方だけのものじゃない、日本にも素晴らしい文献がたくさんあるんですよとその紹介もしていただく。

内田　でも、中国相手にそんな企画を提示して、協力を引き出すことができるような交渉能力のある政治家も官僚も日本にはいませんよ。今の政官財の指導層はほんとうに無教養ですから、文化的な世界戦略を持っていない。これはそう断言していいと思います。「クールジャパン」とか、もう泣きたくなるほど中身がない。日本の固有の文化についての意識が悲しいほど低い。今の日本で文化政策を起案している政治家や官僚とかコンサルとかの中に、武道を修行しているとか、義太夫を稽古しているとか、能楽を嗜《たしな》んでいるとか、参禅しているとか、そんな人いないでしょう？　日本の伝統文化について、自分の身銭を切って、自分の時間を使って学ぼうとする努力をしていない人間が集まって、どうやって日本の伝統文化を世界に発信できるんですか？　あの人たちが文化を語ることって、要するに「それは金になるのか？」という話だけでしょう。

山本　そこがエルドアン政権やニザーミー教育を受けているイスラーム学者との違いじゃないですか。今トルコは、インフレ率が五九パーセントと、すごいですが……。

内田　五九パーセント？　すごいですね。

山本　はい。もう経済的にはほぼ破綻しかけています。何度かインフレに追いつこうと最低賃金も上がり続けていて。トルコ人がよく冗談でこう言っています。やっとトルコは世界一完成した社会主義国になった、みんな平等になれたって（笑）。ですけど、国がそういう危機的状況なのに、今年の一月に、トルコ政府はイスタンブール最大の図書館を開設させたんです。そこにエルドアンが来て、演説をしたんですが、この未曽有の財政難のときに、大学のキャンパス並みの広さを誇る図書館を造ったことにはほんとうに驚きました。

内田　インフレ率五九パーセントでそれを建てるというのは、すごく偉い（笑）。

山本　ラーミー図書館と言って、マドラサをモデルに造られたんですが、単なる図書館ではなく、レストランやカフェ、休憩所もあるという複合施設で、市民の憩いの場としても活用できる。今のこの時期は、未曽有の経済難だけでなく、ロシア・ウクライナ戦争での緊張関係もあって、その中でこういうものを造るのは相当な覚悟がいると思うんです。それができるのは、トルコ政府の指導部がそれなりの知識人層である証明だと思う。今の日本で、この規模の寺子屋を復活させましょうと言って、中央省庁を歩き回っても、誰もイエスと言わないでしょう。

内田　そうです。図書館には司書はいらない、みんなが読みたがるベストセラーだけを並べろ、閲覧回数の少ない本は場所の無駄だから廃棄しろというようなことを平然と言う人たちが文化行政を担当しているわけですから。

山本　マドラサ教育の意義とは、宗教や古典の教育の場でもあるんですが、同時に寺子屋でみんなで一緒に飯を食べて育ってという、人間育成の場でもあることです。ラーミー図書館は、そういう場として機能するように造られています。

内田　日本の政治家ではもう、字がうまいとか、演説に古典を引用するとか、その程度の「誇示的教養」でさえ、身に付けている人がほぼ絶無になりましたからね。政権担当者たちの自国文化に対しての敬意の欠如はほとんど病的ですよ。

山本　エルドアンとは最終的に対立する関係になった、アフメト・ダウトオールという人がいますが、彼が首相時代に演説したときに、学生から「いい政治家になるにはどうしたらいいですか」と問われて、「アフラークアーラーイを読みなさい」と答えたそうです。アフラークアーラーイとは、一五世紀オスマン朝時代に書かれた政治の倫理書です。それを読まなければ何も分からんと。ダウトオール自身、それを読んで理解していたのか分かりませんが、たとえそれがはったりであっても、一五世紀に書かれた古典を読めと言えるのは、やっぱり知識人だなと思いますね。そこで見栄を張るのも国民に対する責任感でしょう。そこが今のトルコの原動力の一つだと思います。

内田　ダウトオールという人は中田先生の監訳で地政学の本（『文明の交差点の地政学――トルコ革新外交のグランドプラン』書肆心水、二〇二〇年）を出している人ですよね。僕も読んでびっくりしました。トルコでは、こういう書物を書けるだけの教養と哲学を持っている人が首相をやっているのかとほんとうに羨ましかった。日本の政治家で、あのレベルの本を書ける人はひとりもいませんからね。

中田　そうなんです。それを考えるとなかなか日本再生への道は厳しいです。

戦争も原発も、日本はノープラン

内田　韓国では若い人たちと話す機会もあるんですが、今の日本の学生と全然違うんです。実に礼儀正しいんです。目がきらきらしていて、僕が部屋に入っていくと、さっと全員立ち上がるんです。とにかく年長者が部屋に入ってきたら全員立つという儒教の道徳が生きていて、なんだか新鮮でした。そのときに会った若い人三人のうちふたりがもう兵役を済ませてきたというので、「一八カ月の徴兵はどうでした？」と聞いてみたんです。もう昔ほどには厳しくはなくなって、能力があるとデスクワークにもつけるらしいのですが、最初の四週間はほんとうに地獄の特訓をやらされるそうです。「殴られるの？」と聞いたら、そうだと言っていました。

理不尽な暴力がまかり通っていて、ナンセンスな理由で体罰を食らう。もうあんな経験は嫌だ、兵役なんてほんとうに行きたくないと、しみじみ言っていました。

中田　そうでしょうね。

内田　日本もうっかりしていると、いずれ徴兵制がほんとうに施行されるかもしれません。これだけ高齢化していて、若い人からの志願だけで自衛隊の欠員が補充できるはずがありませんから。

中田　徴兵制が施行されるとして、日本はどういう戦争をイメージしているんでしょうか。

内田　どんな戦争もイメージしていないと思いますよ。とりあえず防衛予算の枠だけ決めようと四三兆円は決めましたけれども、別に具体的な戦争のシミュレーションをして、それで必要な軍備を積算していって四三兆円になったわけじゃなくて、バイデン米大統領から「NATO並みにGDPの二パーセントの国防予算を組め」と要望されたので、岸田首相が「はい」と返事をしただけで、具体的にどういうシナリオがあるのかについては何も考えていないと思います。

自衛隊の現場の人たちはさすがに「蓋然性の高いシナリオ」から「最悪のシナリオ」まで、ある程度机上演習的なことはしていると思いますけれども、それでも、偶発的な軍事衝突が起きるのはどういう場合か、くらいのことしか考えていなくて、本気で戦争の準備をしているわけじゃない。

本気でしたら、まず食糧やエネルギーや医療資源の備蓄から始めるはずだけれど、何もしていない。大体「ミサイルが飛んでくる」と言った舌の根も乾かぬうちに「原発再稼働」を言い出すわけですから、本気のはずがない。だから、防衛省と日米の兵器産業だけが「笑いが止まらない」という状態じゃないんでしょうか。桁違いの利権ですからね。これから不要不急の兵器を山ほど買うんでしょう。

「安全保障環境が厳しくなっている」と言えば国防予算がじゃんじゃん積み増しされるわけですから、国防利権に関わる人たちは、どうやったら軍事的な緊張が高まるかを必死に工夫する。「軍事的緊張が高まることから受益する人間」たちに国防戦略を委ねるというのは、制度的に間違っています。その点、アメリカは「軍産複合体」が国を誤るかもしれないということについての危機意識は常に覚醒している。その点は認めるべきだと思います。それに、アメリカの憲法では、陸軍は行政府じゃなくて立法府に属している。

中田 あ、そうなんですか。

内田 そうなんです。陸軍を召集して、維持する権限は連邦議会に属しているんです。その辺りにはまだかろうじて合衆国憲法の精神が生きている。それは軍隊は「武装した市民」によって構成されるべきであって、常備軍は市民に銃を向ける可能性があるから持つべきではないと考える人が建国時点では多数だったことを反映しているからです。もちろん、現在のアメリカは世界最大規模の常備軍を有していますが、これは厳密に言えば「違憲」なのです。

合衆国憲法には「常備軍はできるだけ縮小すべき」であるという基本的な趨向性《すうこう》がある。いっぽう、軍産複合体は「常備軍が拡大することから利益を得る集団」ですから、それ自体が合衆国憲法と食い合わせが悪い。軍産複合体の危険性を最初に指摘したのは、ドワイト・アイゼンハウアー大統領ですけれども、アイゼンハウアーは連合軍最高司令官だった軍人です。軍人がその危険を指摘するほどに軍産複合体は安全保障上リスクが高いものだということです。

今のホワイトハウスの基本方針はＡＩ軍拡です。ＡＩに戦術行動を委ね、ロボットやドローンが人間の兵士の代わりに戦う。そうなると大型固定基地とか巨大空母とか有人戦闘機というようなものはしだいに不要になります。巨大な軍隊がいらなくなるということになると、「米軍そのものが軍の近代化に反対する」という奇妙なことが起きる。ＡＩやロボット技術の専門家の方が軍人より重用されると失職するからです。バイデン大統領が岸田首相に「四三兆円にまで国防予算を増やせ」と言い出したのは、別に安全保障環境がその装備を要請しているからではないと思います。不要不急の大型固定基地を保持し、大量の兵器を購入することで、米軍と兵器産業の利権を守るという米政府がやりたくない仕事を日本に肩代わりさせるためです。かつての日本の陸軍もそうでしたよね。軍装の近代化にはまったく興味がなかった。最後まで三八式歩兵銃で戦っていましたけれど、あれ明治三八年に採用されたから三八なわけです。四〇年間ヴァージョンアップしなかった。

中田　ロシア・ウクライナ戦争でも、それがよく分かりましたね。現場の兵士たちが使っている武器は古い型で、しかも弾《たま》がないと騒いでいるし。もうどうしようもない。

内田　何度も言いますけれど、今の日本に戦争なんかできる力はないです。そもそも米軍に丸投げしているから自前の国防戦略がない。エネルギーと食糧と医療資源の備蓄がない。それ以前に、戦争をやるなら優秀な人間を統治機構の要路に配しておかなければいけないけれど、ずっとネポティズム（縁故主義）で人事をやってきたから、世襲議員と忖度官僚しかいない。戦争なんかできるはずがない。

物語を生成するのは想像力

内田　アメリカの共和党は伝統的に戦争が嫌いなんです。「アメリカ・ファースト」ですから。

他国でどんな理不尽なことが行われようが、人権侵害があろうが、知ったこっちゃない。自分のことは自分で始末をつけろ、人を当てにするなというのがアメリカのリバタリアニズム（自由至上主義・完全自由主義）の骨法です。だから、リバタリアンは戦争をしたがらないんです。第一次世界大戦のときも、第二次世界大戦のときも、ずっと参戦に抵抗していた。

セントルイス号で大西洋横断したリンドバーグ大佐という飛行家がいましたね。「アメリカ・ファースト」という政治運動を広めたのはリンドバーグなんです。彼は非戦派で、親独派でした。ゲーリングから勲章までもらっている。ヨーロッパの戦争にアメリカはコミットすべきではない。ヨーロッパの国同士の戦争でアメリカの青年が血を流す必要はないという「正論」を吐いていた。

フィリップ・ロスの『プロット・アゲンスト・アメリカ――もしもアメリカが…』（柴田元幸訳、集英社、二〇一四年）というすごく面白い小説があるんです。一九四〇年の大統領選挙で、リンドバーグが共和党の候補になって、ルーズベルトに勝ってしまうという設定の近過去ＳＦなんです。リンドバーグはただちにヒトラーと「米独不可侵条約」を結び、日本とも「米日不可侵条約」を結んでしまうので、太平洋戦争が始まらない……という世界の話なんです。

中田　どうなるんですか、それ。

内田　アメリカ国内では反ユダヤ主義の嵐が吹き荒れる。戦後のマッカーシズムの時代と同じように、ＦＢＩが全国民を監視するすごく嫌なアメリカになる……という話なんです。最終的には日本が真珠湾攻撃をしかけてきて、現実から見て一年遅れの一九四二年から太平洋戦争が始まる。

アメリカ人ってそういう話が好きなんですね。フィリップ・Ｋ・ディックの『高い城の男』（浅倉久志訳、早川書房、一九八四年）という小説は、第二次世界大戦で枢軸国が勝って、アメリカの東海岸はドイツが占領して、西海岸は日本領になるというストーリーでした。

中田　それはドラマにもなりましたね。途中までは面白く観ていたんですが、登場人物のアメリカ人に全然共感できなくて、やめてしまいました。

内田　イギリスにもあるんですよ。レン・デイトンの『ＳＳ－ＧＢ』（後藤安彦訳、早川書房、一九八〇年）という小説なんですけれど、これもドイツが勝って、ナチスがイギリスを支配しているという設定。「ＳＳ－ＧＢ」というのは、イギリス人によって編成された親衛隊のことです。ナチス・ドイツの世界戦略をイギリス国内で貫徹するために、抵抗するイギリス人たちをどんどん逮捕、拷問していくという話でした。

中田　立場が逆転していますね（笑）。

内田　欧米の作家って、そういう「もしも、あのとき歴史の転轍点《てんてつ》で違う方向に行っていたら」という話が好きなんですよ。こういうSF的構想力って、その国の本質を見る上ではすごく大切なものだと思うんです。アメリカもイギリスも、反ユダヤ主義の監視国家になる可能性があった。ファシスト政府を生み出すような危ない本質を今も抱え込んでいる。だから、自分たちの今の統治機構の形だって、実はずいぶん脆《もろ》いものなのだ、と。そういうきついメッセージを国民に突きつけているわけです。

日本人の創作物では、僕の記憶では小松左京の『日本沈没』が最後なんじゃないでしょうか。日本が滅びるときに、その被害を最小化するために、政治家や官僚や学者が智慧を絞るという話なんですけれども、それ以後に類似する作品がない。亡国的危機を想像して、そのとき何ができるかをシミュレートする訓練は必要だと思いますけどね。例えば、『高い城の男』は、日本人が書いてもよかったわけです。太平洋戦争に勝って、カリフォルニアを日本が占領したときにどうやってアメリカを支配するかについての植民地支配戦略について、日本人が想像したっていいじゃないですか。

中田　そんなこと書いたらアメリカに怒られるから。

内田　確かにそうですけど、実際に真珠湾攻撃をした時点においても、アメリカの西海岸まで侵攻して、カリフォルニアを軍事占領したときに、どういうふうに占領地を支配するかについてのシミュレーションはすべきだったと思います。どうやって親日派のケルンを形成するかとか、親日的な世論をどうやって形成するか、とか。そのためにはアメリカ人の思想と行動についての文化人類学的研究が必要なはずですけれども、そんなことはまったくしていなかった。まったくしていないというのは、端《はな》から戦争に勝つ気なんかないまま戦争を始めたということですよ。

中田 そうですね。

内田 ルース・ベネディクトが『菊と刀』の基になった研究をしたのは、アメリカの戦時情報局においてですからね。日本人の思考と行動の特性を研究して、その文化人類学的知見に基づいて戦争に勝ったあとの日本占領の仕組みはどうあるべきかを考えた。そこまで想像できるから戦争に勝てたんです。想像すらできないことが、実現できるはずがない。

中田 ムガール帝国イギリス領もそうですね。シミュレーションとして、ありえない話ではありませんから。

内田 ムガール帝国イギリス領。あのお話は面白かったです。「SS－GB」よりもムガール帝国イギリス領の方が話としては面白いです。

山本　首相もスナクさんでインド系になりましたし、現実味があります。

中田　彼は本気でそう思っていますよ。

内田　機動性の高い人たちがいて、その人たちが集団的な連帯感を持っているというのは、日本人には理解ができないんでしょうね。在外日本人同士って、そういう連帯感が全然ないじゃないですか。

9・11の後に、アメリカにいるイスラーム系の人たちに対する暴力やヘイトが激化したときに、在米日本人協会が「外国人の人権を守れ」というコメントを発表したことがありました。そのとき初めて、「在米日本人協会なんていう機関があるのか」と思いました。でも、この協会がホワイトハウスや連邦議会に働きかけて、対日政策に影響を与えようと努力してきたという話は聞いたことがない。ユダヤ人はアメリカのイスラエル政策に影響を与えるために、活発なロビー活動をするけれど、日本にいる日本人は在外日本人のことに興味がないし、在外日本人は日本列島住民のことに興味がない。

文化の厚みのない国は先がない

内田　今回はトルコのお話をたくさん聴けて非常に面白かったんですが、寺子屋みたいな学問所がネットワークとして機能しているという話は、ほんとうにいいなと思いました。教育でつながっている、古典でつながっていることって、ほんとうに健全ですよね。

中田　韓国や中国ともそういう連携ができたらいいんですが。

内田　韓国と何かやる場合は、政治のレベルでは難しくても、市民関係の連携はきちんとできているんですよ。在日コリアンの人たちとの連携を日本の市民はたくさんつくっていますから、それを経由して韓国ともつながることができるんです。先日は神戸総領事が着任のご挨拶に凱風館まで来られました。僕が編者となって『街場の日韓論』（晶文社、二〇二〇年）という本を出した後は、大阪の総領事が、執筆者のうち当時、関西在住の六人（平田オリザ、白井聡《さとし》、山崎雅弘、松竹伸幸《まつたけのぶゆき》、伊地知紀子と内田）を領事館のディナーに招いてくれました。

中田　それはすごいですね。

内田　日本国内で日韓関係を好転させてくれる可能性のある人は誰かということを向こうは調べているんですよね。はたして、外務省のソウル総領事が韓国の言論人たちの中で、日本とのリエゾン（つなぎ役）になりそうな人を探すなんてことをしているでしょうか。多分、まったくしてないと思う。

中田　トップも何もやっていませんからね。

内田　日本の大使館は、政治家が海外旅行するときのアテンドは必死になってやりますけれど、市民レベルでの連携にはまったく興味がないんでしょうね。

山本　日本大使館では、日本映画祭とかをやりたいという企画を出しても、なかなか予算がつかないと言われていますね。韓国の方はトルコの韓国映画祭でたくさん上映していたりしますよ。

中田　ほかのことでお金を出しても、そういうことには出さない。

内田　お金の使い方がまったく分かっていない。

山本　トルコはどんどん図書館を建てたり、外交面でも海外の学生を無償で受け入れていたりしますよ。

内田　日本が変なんですよ。お金があっても、それを電通とか吉本興業とかに流して。吉本に一〇〇億円出せるなら、それを原資にして給付奨学金を復活させればいい。一九七〇年の国立大学は入学金四〇〇〇円、半期授業料六〇〇〇円で、一万円札一枚で大学生になれた。一万円くらいの貯金なら高校生だって持っていました。今は初年度納入金って最低八〇万ぐらいでしょう？　八〇万円持っている高校三年生っていませんよ。

山本　アルバイトだけではかなり大変だと思います。それで大学院まで続けようとはなかなか思わないですよ。学部生卒業時点で何百万の借金抱えるって、ざらにありますからね。

内田　竹中平蔵が「君たちには貧しくなる自由がある」と言っていましたね。あの人はほんとうにそう思っているんですよ。国民はできるだけ貧しい方がいいと。圧倒的多数の貧乏人と少数の富裕層に格差があった方が、生産性が上がると本気で信じている。日本がこの二〇年間ぐらい技術的なイノベーションが起きなかった理由の一つは、新しい機械を発明するよりも人間を使い倒した方が安いからです。自民党政権がもう五年も続くと、日本人がベトナムやフィリピンに出稼ぎに行く時代が来ますよ。

山本　北米でアルバイトしている方が、日本企業の初任給より全然いいとか。そんな話もすでにユーチューブで上がっています。

内田　学者もどんどん流出しています。アメリカの大学に二五年いた友人が言っていましたが、日本から留学生、博士が来るけれど、優秀なのは女性たちだそうです。勉強の仕方が半端じゃない。なぜなら、男たちは留学して箔《はく》をつけて帰れば、日本で高いポストが約束されているけれど、女性は日本に帰っても実力に見合うポストがない。だから、アメリカで研究職に就くか、企業の研究所に入るかしかない。結果的に、日本は女性のための働き口を用意していないことで、制度的にもっとも優秀な女性研究者を海外流出させているんだと言っていました。

山本　いろんな文化資源がたくさんある国なのに、それを後世に伝えようとする努力を放棄しているのはもったいないないですね。海外に出ていていつも思うのは、これだけ書店が充実している国ってほかにないですよ。七階建ての大型書店があったり、何か調べるにしても専門書も手に入りやすいし、社会環境としてすごく豊かな感じがします。トルコでもイギリスでも、こんな大型書店はありませんよ。

内田　日本は、ほんとうはすごく豊かな国なんですよ。にもかかわらず、どんどん貧しくなっている。

山本　文化ってどれだけ文献が残っていても、一度途切れると復活させることは難しい。その危機感をもっと持った方がいい。今日お話ししたように、イスラームの若いムスリムたちにもそういう現象が起きてきている。イスラーム文化も日本文化も、人類の叡智として自国の文化を誰かがつないでいくことは絶対必要なんです。僕としてはほんとうに微力だし、内田先生のおっしゃる旦那芸ではあるんですが、その豊かさを少しでも伝える役割を果たせたらいいなと思っています。

エピローグI　トルコに学ぶ新しい帝国日本の転生

中田　考

求められる「帝国」の再評価

大日本帝国の時代だけではなく日本は昔も今も「帝国」でした。そして帝国としてその責任を果たすことで、私たちは明るい未来の希望を持つことができます。

二〇世紀の歴史学では「帝国主義」は「自国の勢力拡大をめざして、政治的、経済的、軍事的に他国や他民族を侵略し、植民地化し支配し、強大な国家をつくろうとする思想、政策」という悪いニュアンスを込めて用いられていました。「帝国」には悪いイメージがあります。映画の『スター・ウォーズ』の「帝国」が典型ですが、帝国は悪逆非道に描かれています。それなのにあえて日本を「帝国」と呼ぶ意味があるのか、と思われるかもしれません。

しかし帝国には本来、国民の同一性を前提とする国民国家と違って「多くの民族、言語集団、宗教集団などの複数の政治集団を統治する広域的支配」という意味がありました。国民の同一性ではなく、多様性、共生、包摂などが喧伝《けんでん》される現在の風潮の下でこそ、多様な集団の共存の政治システムであった「帝国」の再評価が求められているのです。

第二次世界大戦の敗戦で海外の領土を失ってからの日本には少数のアイヌ民族と琉球《りゅうきゅう》民族しか「異民族」は存在せず、帝国と呼べるほどの多様性はないように見えるかもしれません。しかし、それは江戸時代末期に日本が領域国民国家システムに組み込まれてから後の国家観を投影してのことです。それまでの長い間、日本においては「くに」とは地方豪族の領地であり、それに漢字の「国《こく》」があてられたもので、律令制によって飛鳥《あすか》時代から明治初期まで公式な名称であり、行政単位でもありました。

「お国訛り」と呼ばれる方言の違いは小さくありません。しかし日本の学校の授業では国語として標準語だけが教えられています。方言の授業がないことは「言語ジェノサイド」なのです。明治維新以前には、中央政府による中央集権的国語教育の強制は存在せず、民衆レベルでは「お国訛り」が話されていました。行政文書は漢字かな交じりの和漢混交体で書かれていましたが、それは中央政府による同化的国語教育の成果ではなく、公家、武士、僧侶、神官などの「教養」が徐々に江戸時代には寺子屋と総称されるような私塾によって庶民の間に広まっていったものでした。

ここで重要なのは、日本がもともと自律的な国々を緩やかに束ねる帝国であったと考えることが、民主主義や平等の名に隠れて地方の豊かな文化を消滅させてきた中央集権化の弊害への気づき、「帝国」内のそれぞれの「国」が培ってきた固有の歴史の豊かな多様性の再生、上からの押し付けではなく下からの希求に基づいて「帝国」を統合する「教養」教育の再発見、再創造の契機となることです。

日本と「帝国」の関係

しかし、日本が今もなお帝国であるとの発想の転換が真に求められているのは、こうした内政の問題ではありません。私たちの未来のために日本がグローバルな国としてどのような立ち位置を取るべきかを戦略的に考えるため、つまり外政上の問題です。日本は独立の文明であることには広く合意が存在しています。私は「日本は中国文明の周辺文明として出発し……再びヨーロッパ文明の周辺文明となった」という堤彪《ていひょう》の評価が妥当だと考えています。

中国から文字を学んだ日本では、ヨーロッパ的な皇帝、帝国より先に、秦の始皇帝以来、諸国の王の上に立ち天下を治める「皇帝」の概念が知られていました。中華思想の世界観では漢民族の習俗、道徳、世界観を体系化した儒教の教えが行われる文明の地が中国です。いっぽうこの儒教が行き届いていない未開な地に住む者は野蛮な「夷狄《いてき》」と呼ばれ、中華は彼らを文明化する責任がある（王化）と考えられました。この思想的な区別に基づいて、中国は中華秩序の中心として周辺地域や異民族を征服し、統治することをめざしました。その中華秩序を体現する存在が地方領主である王たちの中から天命を受けて天下を統一（平天下）する支配者となった天子であり、中国を統一した秦の始皇帝以来、皇帝の称号を名乗ります。

王化とは君主が高い徳を身に付け、その品行が周囲の人々に感化を与えることを指し、儒教の政治理念は、君主が正義の善政を行う徳治です。武力と戦いによって人を従わせる覇道を用いず、徳治によって秩序を維持するのが王道であり、徳治の王道を歩む君主の人徳によって野蛮な未開人たちを感化し心服させ文明化させるのが王化なのです。

そこで中華帝国の拡大は未開の「夷狄」の側から中国皇帝に臣従して任官を求めて官職に任命してもらう冊封という手続きをとって中華文明圏に編入されることで実現するのが建前になります。日本は三世紀に邪馬《やま》台国女王卑弥呼《ひみこ》が魏から親魏倭王《わおう》の印綬を受け、冊封体制に編入されます。しかし宋《そう》の順帝から安東《あんとう》大将軍に任じられた倭王武の五世紀後半のものとされる鉄剣には「治天下」の文字が刻まれていました。

この時期には華北の五胡に始まり朝鮮半島、日本のような「夷狄」の間にも「小中華意識」が生まれていました。つまり倭国（日本）では首長のことを、国内では王《くにのみやつこ》たちの盟主「大《おお》王《きみ》（治天下大王）」あるいは「天王」と呼び、対外的には中華皇帝の臣下の「倭王」「倭国王」「大倭王」と称して、使い分けるようになったのです。七、八世紀には国内的には祭祀《さいし》上は「天子」、詔書では「天皇」、対外的には「皇帝」と称するようになります。

対中関係において重要なのは、鎌倉幕府が元の皇帝フビライ・ハンからの服属要求を拒否し戦争（元寇《げんこう》）になり、これを撃退したことです。一二世紀末に鎌倉幕府が成立して以降は、政治・軍事の実権は武士の手に移り、朝廷（天皇－公家）と幕府（将軍－武士）の二重権力体制ができ上がります。特に室町幕府第三代将軍足利義満が明の永楽帝から「日本国王」に冊封されてからは日本帝国とは幕府、皇帝は将軍を意味するようになります。

そして豊臣秀吉は明の征服をめざし朝鮮半島に出兵（唐入《からい》り）しました（文禄《ぶんろく》・慶長の役）。秀吉は北京《ペキン》（明の首都）に遷都し寧波《ニンポー》入りし、本朝（日本）、震旦（中国）、天竺《てんじく》（インド）を統一支配する華夷秩序転換を夢想しました。結果的に「唐入り」は失敗しますが、戦いに疲弊した明は滅亡し、一六三六年に中国本土には満洲《まんしゅう》族の異民族王朝大清《だいしん》帝国が成立します。

織豊政権以来、旧来の華夷秩序的世界観にないポルトガル、イスパニア、オランダ、イギリスなどが日本人の目にも入ってくるようになります。中国における異民族王朝の成立を目撃し、ヨーロッパとの接触を経た徳川幕府は、それまでの中華秩序の枠内での将軍の外交上の称号「日本国王」に替えて前例のない「日本大君」の名によって武家外交を行うようになります。これは日本の中華秩序からの離脱の前触れとなるものでした。

一九世紀は西欧列強による世界の植民地化の時代、二〇世紀は二度にわたる世界大戦による西欧の破産とその破産管財人である米ソによる残務処理の時代でした。二一世紀は、西欧の覇権の下にあった中華文明、ロシア文明、インド文明、イスラーム文明の再生による文明の再編の時代となります。二一世紀が帝国の復興と文明の再編の時代であることは、中華人民共和国が中華帝国の復興を旗印に掲げアメリカの覇権に挑戦する世界第二位の経済大国として登場したことで明らかになりました。

文明の再編の雛型《ひながた》となるのは一七世紀の世界です。一七世紀と言えば西欧で現在の国際システムの原型となるウエストファリア体制ができ上がった時代ですが、当時の西欧は一地方文明でしかありませんでした。西欧の世界植民地化の一環としての東アジア進出（カトリックのスペインとプロテスタントのオランダの競合）に対して、信長はカトリックとの交易を通じて中華秩序を超えて世界進出をはかり、秀吉は明を征服し北京に遷都し異民族王朝として中華秩序の再編をめざし、家康は一転して鎖国政策を取りました。

一九世紀になると東アジアの中華秩序も西欧文明の直接的侵略にさらされるようになり、大清帝国は一八四二年の阿片《あへん》戦争の敗北後、徐々に半植民地化されていきます。西欧の侵略に対して当時の東アジアには大別して三つの対応がありました。第一は異民族王朝大清帝国による改革再建（中体西用、洋務運動、扶清滅洋）、第二は漢民族による国民国家建設（滅満興漢、辛亥《しんがい》革命、五族共和、中華民族）、そして第三に異民族王朝としての大日本帝国による大東亜共栄圏建設でした。中国では大清帝国の改革による延命策も漢民族による中華帝国の新王朝樹立の試みも失敗し、中華秩序は崩壊しました。日本は大日本帝国として欧米列強に肩を並べ東アジアの覇者をめざす脱亜入欧路線を選び、殖産興業富国強兵による近代化に成功し、日清・日露戦争に勝利して帝国主義列強の仲間入りをし、東アジアの盟主をめざしました。それが大東亜共栄圏構想でした。しかし大東亜戦争で大日本帝国は敗北し、すべての海外領土を失って滅亡し、実質的に米軍である占領軍の手で日本国に改組されました。

大日本帝国に欠けていた霊性

経済力、科学力などの物質的な力関係の大きな格差は確かに大日本帝国の重要な敗因でした。

しかし、究極的にはその敗因は大日本帝国の植民地経営が口先では王道（王道楽土）を唱えながら実態は武力に頼った覇道でしかなく、仁を欠き徳がなく、植民地の諸民族の人心を得られなかったことに尽きました。つまり大日本帝国には多民族の共存を可能にする神学がなかったことが大東亜戦争の敗因だったと私は思っています。

戦前の日本において神道は国教となり（国家神道）、神主は公務員でした。しかし実は神道家は日本の政治に何の影響力も有していませんでした。そもそも明治の元勲の中にはひとりの神道家もいません。その後も総理大臣は言うまでもなく、枢密院や内閣や国会に神道家の居場所はなく、イデオローグ、思想家についても同じで、体制内の学者上杉愼吉《しんきち》、蓑田胸喜《みのだむねき》、体制外の大川周明、北一輝らも神道家ではありませんでした。

大日本帝国のイデオロギーの基礎となった「国家神道」は、それを上部で担う神道家知識人を国家の中枢にも持たず、また下支えする国民全員を教導する修道機関も持たない鍍金《めっき》細工に過ぎませんでした。「八紘一宇」のような空疎なスローガンを掲げても、実体は霊性を欠く夜郎自大の民族主義でしかないことは明白で、ただちに鍍金が剝がれたのは必然でした。

それゆえ朝鮮半島でも台湾でも、現地人たちの間に新生日本の領土に残ろうという運動は起こらず、大日本帝国はあっけなく瓦解し、海外領土のすべてを喪失し、その傀儡国家であった満洲国、蒙古《もうこ》自治連邦、汪兆銘《おうちょうめい》政権は中国に吸収され、日本が解放したベトナム帝国、カンボジア王国、ラオス王国、フィリピン第二共和国、ビルマ国、自由インド仮政府なども欧米によって再植民地化されることになったのです。

敗戦で国土が荒廃し海外の植民地を失った日本でしたが、東西冷戦で「反共の防壁」として西側陣営に組み込まれ、朝鮮特需で経済復興を果たしました。朝鮮戦争で米中対立が激化したことで、アメリカは日本の対中貿易を遮断し、その産業を東南アジアの資源と日本の工業力とを結びつけ西側陣営に引き込む戦略を取りました。

そして高度経済成長期（一九五八―一九七三年）には「奇跡」と呼ばれた経済成長を成し遂げ、一九六八年にはＧＤＰ世界第二位の経済大国になり、一九九一年にバブルがはじけるまで日本は高度成長を続け、一九七九年にはエズラ・ヴォーゲルの『ジャパン・アズ・ナンバーワン』が書かれ、日本式経営は世界中で持てはやされ、ソニーのウォークマンは世界の若者の憧れの的でした。三菱地所がロックフェラーセンターを買収して話題になったのもこの時期です。

第二次世界大戦後、民族自決の理念に基づき、アジア、アフリカの植民地が次々と独立を果たすと、先住民から土地を奪い奴隷労働を課し搾取する植民地を持つ「フォーマルな帝国」は姿を消します。第二次世界大戦の敗戦後、日本はアメリカ軍に占領され、武装解除され、民主化（財閥解体、農地改革、労働改革）され、冷戦下で「政治／軍事的」にアメリカの属国のような存在になったため、経済に注力することができました。西側「自由民主主義」陣営の盟主としてアジア・アフリカの新興独立国を政治・経済・軍事・文化的に支配した「インフォーマルな帝国」アメリカから、その代理人として東アジアの非軍事的支配を任されていた日本も「インフォーマルな帝国」と呼ぶことができます。

バブルがはじける以前の最盛期の一九七〇年代から八〇年代において日本は世界第二位の経済大国の地位を確立し、中国を抑えて東アジアを経済植民地化したのみならず、武器を除く日本の工業製品は世界の市場を席巻しました。しかしこの予想を超える成功はアメリカの逆鱗《げきりん》に触れ、プラザ合意が結ばれ円高ドル安に誘導され、日本のバブルは崩壊し、長期的不況、凋《ちょう》落《らく》が始まります。

新しいフェーズに入った欧米帝国主義への抵抗

いっぽう、中国は輸出志向型工業化に成功した後、民事と軍事を融合し最新の科学技術を集約した「製造強国」へと転換をめざし、海陸双方における経済開放政策「一帯一路」戦略により東アジアの地域大国を超えて世界覇権国への道を歩んでいます。

一九七〇年代から八〇年代の日本は唯一の非西欧（非白人）国家として新たな列強（G7）の一角を占め、大日本帝国以上の「帝国」になりました。しかし日本は東アジアの盟主たるだけの徳に欠けたたま、この経済戦争の勝利も活かすことができませんでした。

二〇世紀後半、東アジアでは日本が経済戦争で勝利しながら、二〇世紀末から二一世紀初頭には、長期的な戦略によって政治、軍事、経済的大国になった中華人民共和国にアジアのリーダーの地位を奪われます。これが帝国日本の第二の敗戦です。

一九世紀に始まった東アジア中華秩序の西欧の帝国主義的支配に対する抵抗は、新しいフェーズに入ったのです。一九九六年にアメリカの国際政治学者サミュエル・P・ハンティントンは『文明の衝突』を著し、冷戦後の現代世界においては文明と文明との衝突が対立の主要軸となり、文明間の断層線（フォルト・ライン）での紛争が激化すると指摘し、西欧文明と対立する可能性がもっとも高いのは中華文明とイスラーム文明であると予言しました。しかし文明の衝突とその再編の現状の実態を正しく理解するためには、冷戦思考からの脱却が必要になります。

冷戦思考とはアメリカに代表される「資本主義・自由民主主義」とソ連に代表される「共産主義・民主集中制」が存在論的に対立する異質な価値観、政治制度である、との前提、先入観です。しかしマルクス主義（科学的社会主義）は純粋に西欧の産物であり、当時の西欧の最新の社会科学であったマルクス主義による帝国の再興に成功したのがソビエト連邦と中華人民共和国だったのです。資本主義、自由民主主義、共産主義、民主集中制はすべて近代西欧文明の表現型でしかなく、相違は表面的なものであって本質的な違いはありません。

西欧の社会思想のマトリックスは神の代理人である聖職者が平信徒の大衆を支配する「人による人の支配」「全体主義」です（加藤隆『武器としての社会類型論――世界を五つのタイプで見る』講談社現代新書、二〇二二年）。欧米の言う「自由民主主義」とは「自分たちと同じことを考える者だけの間で許されると決めたこと」だけを「自由」と呼び、それを価値観を異にする他者に押し付け、それ以外のことを禁ずる寡頭制の全体主義に過ぎません。

我々は欧米の「自由」「人権」「民主主義」のようなうそに騙《だま》されず、それぞれの拠《よ》って立つ文明的原理を見極め、共存の道を探さなければなりません。

大日本帝国の大東亜共栄圏は破綻しましたが、これは、英米を中心とする連合国の軍事力に敗れたのであって、当時の基準に照らしてその植民地経営は取り立てて不正なものではなく、西欧列強の植民地支配に比べて反乱が多かったわけでもありませんでした。日本の植民地支配が不正だったのは、当時の国際法に反していたからではなく、日本人自身が口にした「仁」や「義」などの東洋の人倫にもとっていたからです。

元トルコ首相ダウトオールは『文明の交差点の地政学』の中でトルコは旧オスマン帝国領に残った諸民族の保護の責任を負っていると言っています。ルールを決める覇権国によって押し付けられる西欧近代法と違い、イスラーム法では責任は能力に応じて発生すると考えるため、現在でも地域大国であるトルコは、国際法上は無関係でも旧帝国領の少数民族を保護する道義的責任があると考えるのです。

衰退する日本が果たすべき新しい文明圏での役割とは?

大日本帝国はほかのアジア諸民族に比べて政治、経済、科学技術力において勝っていました。それゆえ西洋の国際法ではなく、帝国が掲げた東洋の人倫に基づいて旧植民地の諸民族を助ける責任を当時の日本は負っていました。また戦後の経済大国としての帝国日本は、かつて大東亜共栄圏の理想を掲げて占領して独立させたアジアの国々の民衆に対して、彼らの独立を支援する道義的責任がありました。

しかし残念ながら、戦後驚異の経済発展を遂げ経済帝国になった日本はそれに相応《ふさわ》しい対応をせず、東アジア諸国からエコノミックアニマルと蔑まれ、旧宗主国としての尊敬を得ることができませんでした。なぜなら東アジアに経済植民地化の先兵として乗り込んでいった日本の駐在員たちは、現地では接待を受けて利益を日本の本社に持ち帰るのみで現地社会に溶け込まず、日本語を学んだ現地人を責任者に登用せず、また日本に留学した者のケアも薄かったからです。

とはいえ、日本の衰退、敗戦を過度に誇張し悲観するのも間違いです。不可逆な長期的凋落、という点ではるかに重要なのは、日本の衰退よりも、アメリカの長期的な不可逆の衰退だからです。東アジア中華文明圏の再生を止める力は今のアメリカにはもはやありません。

現在ではドラマ、音楽、ファッションなどの発信力では日本はもう中国や韓国の後塵《こうじん》を拝しています。しかし一九八〇年代から九〇年代に日本のサブカルチャーは東アジアを席巻し、テレビやマンガや音楽だけでなく街並みからファッションまでを日本風に均質化させました。もちろんその「日本風」は大日本帝国の日本ではなくアメリカの属国のような存在として西欧化された日本です。

国家としての日本は衰退を続けています。しかし日本の国益や国力という視点ではなく、西欧帝国主義列強の侵略に対する東アジア中華秩序の異民族王朝としての大東亜共栄圏構想の理念の実現という視点から見直すなら、この一九七〇年代から九〇年代の日本は、大日本帝国と戦後の経済帝国としての日本が軍事力、政治力、経済力によってできなかった東アジアの諸民族の協和を、個々のクリエイターたちがつくり出したサブカルチャーによってある程度実現することができたと言えるでしょう。

日本のマンガとアニメ、特にアニメは人種、民族、国籍、宗教の違いを超えて、東アジアの子どもたちに愛されています。日本のマンガ、アニメは現代の「ビルドゥングスロマン（教養小説）」として、欧米、日本、中国などの為政者たちが臆面もなく口にする自由、人権、民主、繁栄、安定などの絵空事の美辞麗句よりも、アニメやマンガの主人公であるドラえもん、アンパンマン、孫悟空、ナルト、月野《つきの》うさぎ、虎杖悠仁《いたどりゆうじ》、竈門炭治郎《かまどたんじろう》たちの生き方と言葉が国家の枠を超えて東アジアの若者たちの心を捉え、ロールモデルとなっています。

私見では、大東亜戦争の敗戦処理とは、国家の仕事ではなく、志ある私人が為すべきことです。そしてそれは日本のアニメを観て育った東アジアの若者たちが、まず互いの言語、文化に興味を持ち、ネット上でもリアルでも交流を深め、その過程で本来自由であるべき交流を妨げる経済的・社会的、各国の国内法制、国際法上の障害に気づき、それを是正するために何ができるかを考え、そのために私たちが日本のアニメの主人公たちのように闘うこと、そしてそれを応援することです。

地政学的・文明論的に日本は東アジア中華文明圏に復帰していくのが必然であり、またそうするべきであると私は思っています。それは現在の中国共産党帝国である中華人民共和国の覇権に追随せよ、ということではありません。そうではなくその逆で、政治・経済・軍事大国化に成功しながら、多民族、多宗教（儒仏道回）が共存する異民族王朝としての大清帝国の王道を外れ、偏狭な漢民族中心主義の覇道に堕《お》ちた現在の中華人民共和国に対して、韓国や台湾などと語らい東アジア文明圏の同胞として、中華秩序の盟主として、覇道ではなく万民に徳を施す王道を歩み、人倫にもとる行為を慎むように諫《いさ》めることこそが日本が果たすべき役割にほかなりません。

　そして統一中国、統一朝鮮、日本を中心とした新しい東アジア中華文明圏をつくり上げることこそが、異民族王朝として大東亜共栄圏をめざした大日本帝国の敗戦処理の責任なのです。東アジア中華文明圏が共有する漢字文化の豊かな遺産に加えて東アジアの若者たちの共通教養となっている日本のマンガやアニメがそのプラットフォームになります。

　日本が今なお経済的・文化的影響力を保持している東アジアで「マンガやアニメの力で今度こそ諸民族が共存共栄する世界」王道楽土を築くことが、大東亜戦争の戦争責任を果たすことであると考える有志が現在の日本に一定数存在するならば、「未開曚昧《もうまい》の国に対する程むごく残忍の事を致し己れを利する」（『西郷南洲遺訓』）「野蛮」な西欧ナショナリズムを超えて諸民族が共栄する新しい東アジア新秩序の中で日本人はしかるべき地位を占めることができる、と私は信じています。

エピローグⅡ　明日もアニメの話がしたい

山本直輝

正直言って私は帝国の復興も文明の再編にも興味はない。もしかしたら大きな時代のうねりの中で、私も巻き込まれるのかもしれないし、実際今も巻き込まれているのかもしれないけれど、だからと言って私にできることは何もない。「トルコのエルドアンにはこんな偉大なビジョンがある」「プーチンはこんな壮大な世界観を持っている」「アメリカ帝国はこんな悪行を中東世界にし続けてきた」「今の日本政府は無能だ」、そんなこと言われたって私は一日一日生きるのに精一杯だ。しかし、トルコで暮らしていると残念ながら「世界の命運をめぐる戦い」を無視することは、ほぼほぼ不可能でもある。意気込んだ人たちは常に「お前はどっち側なのか」と言葉に出さなくても圧をかけてくる。

直近のトルコの大統領選挙と議会選挙では与党連合と野党連合の支持者たちが醜い中傷合戦を繰り広げた。エルドアン大統領を「イスラーム世界のリーダー」として支持するファンたちはトルコ国外にもたくさんいて、中東やヨーロッパ、アメリカのムスリムたちはSNSでエルドアン大統領への支持を発信したり、対立する世俗派のトルコ人を「ムスリムの裏切り者」「西洋人になり切れない野蛮人」「レイシスト」となじったりしていた。反対に野党連合の支持者たちはイスラーム派がこのままトルコで勢力を伸ばすとイスラーム法の統治が復活して人々から自由が失われると騒いだり、どの政党の支持者かは分からないけれど、「アフガン人ってさあ、調べたけどDNA的に劣った民族なんだよなハハハ」と笑いながらしゃべるトルコ人の男性のビデオがX（旧ツイッター）上でシェアされたりしていた。加えて野党は「シリア人は出ていけ」というポスターをイスタンブールの街に貼る始末だ。同じ外国人として暮らす私は心がえぐられる思いだった。これから世界が再編されるかどうかは知らないけれど、少なくとも人間の醜さだけは変わらないのだと思うし、私にも同じような醜さがあるのだと思うとつくづくこの世で生きるのが嫌になる。

そんな中、六月に中東のカタールに出張する機会があって、泊まっていたホテルのロビーで働いていたアルジェリア人の男性と雑談する機会があった。私がロビーで日本のマンガ風のムスリムのキャラ絵を描いていたのを見て、男性は興味を持ってくれたらしく、「それマンガ!?

マンガを描く日本人は初めて見た。日本のマンガとかアニメ大好きなんだ」と話しかけてくれたのだ。聞けば彼は『チェンソーマン』の大ファンらしい。

「『チェンソーマン』はいいよ。ほかの少年マンガのキャラクターはさ、その世界で一番強い人になろうとしたり、成功しようとしたり、なんかわくわくしながら生きているじゃないか。それも面白いんだけど、なんか真似できないっていうか。でもデンジ（主人公）は違うんだ。それででい意気込んでいないっていうか、特別なものは何もいらない、十分だって言うんだよ。それでいて実はパワーとかアキをとても大切にしてるじゃないか。すごい好きなんだ」

私もまったく同じ理由で『チェンソーマン』が大好きだった。アルジェリアからカタールは決して近い距離ではない。ましてやアルジェリア人に会う機会など日本人の私にはめったにない。でもアルジェリア人の若者と私は、米津玄師《よねづけんし》の「メランコリーキッチン」の音楽にのせて『チェンソーマン』のマンガのページがシェアされているユーチューブの動画を観ながら（著作権的に大丈夫なのかは知らないけど）、日本のマンガの話をしていたあの瞬間だけは、世界に立ち込めた救えない憂鬱をおいしく呑《の》み込むことができた。

日本文化、特にマンガ・アニメのすごさはこの国境を越えた共感の力だ。この世界の辺境に位置する小さな島国がつくったローカルなサブカルは、世界、特にムスリム社会の若者の間では強烈な魅力を持ったグローバルなメインカルチャーとして愛されている。

イスラームフォビア（イスラーム嫌悪）、西洋vs.イスラーム世界などイスラームをめぐる言説はいつも緊張感に満ちている。イギリスやドイツのムスリムの友人たちによれば、西洋社会でマイノリティとして生きることも楽ではない。どれだけ社会になじもうとしても、聞かれることは「あなたはテロリストなの？」「クルアーンでは異教徒は殺せって書かれているってほんとう？」「スカーフ被らなきゃいけないって洗脳じゃないの？」など表層的な偏見に満ちたものばかり。欧米のテレビドラマを観てみれば、イスラームや中東にルーツを持つキャラはあまりいい描かれ方をされていない。でも私が出会ったヨーロッパ、中東、トルコの日本文化好きのムスリムの若者たちは、日本のアニメを観るときだけは「自分と同じような感情を持ったキャラがここにいる」と感じるらしい。これってすごいことじゃないだろうか？　日本人にとっては遠い異邦人に見えるムスリムに、日本のマンガのストーリーやキャラたちは彼らにとっての唯一の隣人として寄り添っているのだ。

案外、この日本のマンガ文化がこの帝国再編の時代に求められる最強のアートなのかもしれない。どんなイデオロギーでもない、イチゴジャムと梅ジャム、オレンジジャムに、バターとはちみつ、そしてシナモンをたっぷりとかけた食パンこそがあらゆる帝国を越境する最強の城をつくり上げている。

何もかもが不透明で不条理でほとほとうんざりするけれど、『呪術廻戦《じゅじゅつかいせん》』の今後の行方を見守るこのハラハラ感をまた誰かと共有できるなら、私は明日も目覚めてみようかなと少し思える。さらに傲慢かもしれないけど、日本のマンガを鞄《かばん》に入れて外を出歩けば、いつか私たちは誰かに明日、もう一度目覚める理由を少しでも与えられるかもしれないのだ。

内田 樹（うちだ たつる）

一九五〇年東京都生まれ。思想家・武道家。神戸女学院大学名誉教授。著書に『私家版・ユダヤ文化論』（文春新書）等多数。

中田 考（なかた こう）

一九六〇年岡山県生まれ。イスラーム学者。イブン・ハルドゥーン大学客員教授。著書に『イスラームのロジック』（講談社）他。

山本直輝（やまもと なおき）

一九八九年岡山県生まれ。トルコ国立マルマラ大学大学院トルコ学研究科助教。著書に『スーフィズムとは何か』（集英社新書）等。

一《いっ》神《しん》教《きょう》と帝《てい》国《こく》

集英社新書一一九一C

二〇二三年一二月二〇日 第一刷発行

著者……内田《うちだ》 樹《たつる》／中田《なかた》 考《こう》／山本直輝《やまもとなおき》

発行者……樋口尚也

発行所……株式会社集英社

東京都千代田区一ツ橋二-五-一〇 郵便番号一〇一-八〇五〇

電話 〇三-三二三〇-六三九一（編集部）

〇三-三二三〇-六〇八〇（読者係）

〇三-三二三〇-六三九三（販売部）書店専用

装幀……原 研哉

印刷所……大日本印刷株式会社 TOPPAN株式会社

製本所……加藤製本株式会社

定価はカバーに表示してあります。

© Uchida Tatsuru, Nakata Ko, Yamamoto Naoki 2023 ISBN 978-4-08-721291-4 C0214 Printed in Japan

造本には十分注意しておりますが、印刷・製本など製造上の不備がありましたら、お手数ですが小社「読者係」までご連絡ください。古書店、フリマアプリ、オークションサイト等で入手されたものは対応いたしかねますのでご了承ください。なお、本書の一部あるいは全部を無断で複写・複製することは、法律で認められた場合を除き、著作権の侵害となります。また、業者など、読者本人以外による本書のデジタル化は、いかなる場合でも一切認められませんのでご注意ください。

a pilot of wisdom

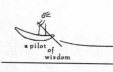

アントニオ猪木とは何だったのか

入不二基義／香山リカ／水道橋博士／ターザン山本
松原隆一郎／夢枕 獏／吉田 豪　1180-H

哲学者から芸人まで独自の視点をもつ七人の識者が、あらゆる枠を越境したプロレスラーの謎を追いかける。

絶対に後悔しない会話のルール

吉原珠央　1181-E

人生を楽しむための会話術完全版。思い込み・決めつけ・観察。この三つに気を付けるだけで毎日が変わる。

疎外感の精神病理

和田秀樹　1182-E

コロナ禍を経てさらに広がった「疎外感」という病理。精神科医が心の健康につながる生き方を提案する。

「おひとりさまの老後」が危ない！ 介護の転換期に立ち向かう

上野千鶴子／髙口光子　1183-B

日本の介護に迫る危機にどう向き合うべきなのか。社会学者と介護研究アドバイザーが「よい介護」を説く。

スーザン・ソンタグ 「脆さ」にあらがう思想

波戸岡景太　1184-C

〝反解釈・反写真・反隠喩〟で戦争やジェンダーなどを喝破した批評家の波瀾万丈な生涯と思想に迫る入門書。

男性の性暴力被害

宮﨑浩一／西岡真由美　1185-B

男性の性被害が「なかったこと」にされてきた要因や、被害の実態、心身への影響、支援のあり方を考察する。

死後を生きる生き方

横尾忠則　1186-F

八七歳を迎えた世界的美術家が死とアートの関係と魂の充足をつづる。ふっと心が軽くなる横尾流人生美学。

ギフティッドの子どもたち

角谷詩織　1188-E

天才や発達障害だと誤解されるギフティッド児。正確な知識や教育的配慮のあり方等を専門家が解説する。

推す力 人生をかけたアイドル論

中森明夫　1189-B

「推す」を貫いた評論家が、戦後日本の文化史とともに〝虚構〟の正体を解き明かすアイドル批評決定版！

スポーツウォッシング なぜ〈勇気と感動〉は利用されるのか

西村 章　1190-H

都合の悪い政治や社会の歪みをスポーツを利用して覆い隠す行為の歴史やメカニズム等を紐解く一冊。

既刊情報の詳細は集英社新書のホームページへ
https://shinsho.shueisha.co.jp/